장년을 위한 논어(論語)

장년을 위한 논어(論語)

발　행 | 2024년 7월 8일
저　자 | 이명숙
펴낸이 | 한건희
디자인 | 권영민
펴낸곳 | 주식회사 부크크
출판사등록 | 2014.07.15.(제2014-16호)
주　소 | 서울특별시 금천구 가산디지털1로 119 SK트윈타워 A동 305호
전　화 | 1670-8316
이메일 | info@bookk.co.kr

ISBN | 979-11-410-9361-7

www.bookk.co.kr
ⓒ 이명숙 2024

장년을 위한 논어(論語)

서 문

　장년은 인생에서 가장 중요한 시기 중 하나입니다. 이미 많은
경험과 지혜를 쌓아온 이 시기에는 더욱 깊은 성찰과 의미를 찾
게 됩니다. 이 책, **《장년을 위한 논어(論語)》**는 이러한 장년들에
게 공자의 가르침을 통해 삶의 지혜를 전달하고자 합니다. 장년은
중년과 노년의 사이에 위치하여, 더욱 깊은 지혜와 성찰이 필요한
시기입니다.

　논어의 가르침의 중요성
　공자의 가르침은 수천 년이 지난 지금도 여전히 우리에게 깊은
울림을 줍니다. 논어는 단순한 철학서가 아니라, 인생의 지침서입
니다. 논어를 통해 우리는 자신을 돌아보고, 더욱 성숙한 삶을 살
아갈 수 있는 방법을 배웁니다. 논어의 가르침은 단순히 옛날 이
야기가 아니라, 현대 사회에서도 여전히 유효하며, 우리의 삶에
큰 영향을 미칩니다. 공자는 **"천명을 알지 못하면 군자가 될 수**

없고, 예를 알지 못하면 세상에 당당히 나설 수 없으며, 말하는 법을 알지 못하면 사람의 진면목을 알 수 없다"고 했습니다. 이러한 가르침은 우리가 진정한 인간으로서 성장하고, 사회에 기여하는 삶을 살 수 있도록 안내해 줍니다.

논어는 우리가 어떻게 살아야 하는지에 대한 보편적이고도 깊이 있는 지침을 제공합니다. 이는 인생의 다양한 단계에서 우리의 행동과 사고를 인도하는 중요한 역할을 합니다. 논어의 가르침은 단순히 도덕적 규범을 제시하는 것을 넘어, 우리의 내면을 깊이 성찰하게 하고, 더욱 진정한 자신을 찾아가는 데 큰 도움을 줍니다.

이 책으로 무엇을 배우는가

이 책은 논어의 가르침을 장년의 시기에 맞춰 재해석하고, 그 의미를 현대적 시각에서 풀어냅니다. 장년은 인생의 황금기를 맞이하여 너욱 깊이 있는 삶을 살아가야 하며, 이를 위해 논어의 가르침을 통해 자신을 성찰하고, 삶의 방향성을 재정립할 수 있습니다.

1. **자기 이해:** 자신의 인생 목적과 방향성을 재정립하고, 진정한 자아를 찾는 과정을 돕습니다. 이를 통해 우리는 더욱 명확한 삶의 목표를 설정하고, 이를 향해 나아갑니다. 장년은 오랜 경험으로 많은 것을 배웠지만, 끊임없이 자신을 탐구하는 자세를 유지하는 것이 중요합니다. 자신의 과거를 돌아보며, 무엇이 나를 행복하게 했고, 어떤 순간이 가장 의미 있었는지를 성찰하는 과정이 필요합니다. 이를 통해 우리는 진정한 자신의 모습과 앞으로의 방향성을 재정립합니다.

2. **자기 극복:** 사회의 기본적인 규범과 도덕을 이해하고 실천하

는 방법을 배웁니다. 이는 인간관계의 기초를 다지며, 더 나은 사회적 유대감을 형성하는 데 도움을 줍니다. 장년층은 많은 사람들과 관계 속에서 예(禮)를 지키는 것이 얼마나 중요한지를 더욱 깊이 깨닫게 됩니다. 예를 지킨다는 것은 단순히 겉으로 보이는 예의를 갖추는 것을 넘어서, 상대방을 진심으로 존중하고 배려하는 마음을 가지는 것을 의미합니다. 이는 가족, 친구, 동료, 그리고 자신과의 관계에서도 마찬가지입니다.

3. **자기 성장**: 올바른 소통의 중요성과 그 방법을 배웁니다. 진솔하고 신뢰할 수 있는 소통을 통해 우리는 더욱 깊은 인간관계를 형성할 수 있습니다. 장년층은 말의 중요성을 더욱 실감하게 됩니다. 우리는 살아가면서 많은 오해와 갈등을 경험하며, 이 중 대부분은 말에서 비롯됩니다. 따라서 우리는 말을 통해 상대방의 진정한 마음을 이해하고, 자신의 의사를 명확히 전달할 수 있어야 합니다. 이는 단순히 화려한 언변을 가지는 것을 의미하지 않습니다.

오히려 진솔하고 신뢰할 수 있는 말로 소통하는 것이 중요합니다. 우리가 사용하는 말은 우리의 인격과 신뢰를 반영합니다.

어떻게 살아야 하는가

이 책은 공자의 가르침을 바탕으로, 장년이 어떻게 살아야 하는지에 대한 구체적인 지침을 제공합니다. 장년은 인생의 황금기를 맞이하여, 더욱 깊이 있는 삶을 살아가야 합니다. 이를 위해 우리는 다음과 같은 세 가지 태도를 가져야 합니다.

1. **자신을 탐구하라**: 끊임없이 자신을 돌아보고, 내면의 소리에 귀 기울이며 진정한 자아를 찾아가는 여정을 계속해야 합니다. 이는 자신의 인생을 더욱 명확하게 이해하고, 삶의 목표를 재정립하는 데 도움이 됩니다.

2. **예를 실천하라**: 타인과의 관계에서 진심으로 존중하고 배려하는 마음을 가지며, 사회적 규범을 지키는 태도를 유지해야 합니다.

이는 사회적 유대감을 강화하고, 더 나은 인간관계를 형성하는 데 필수적입니다.

3. **진솔하게 소통하라:** 자신의 생각과 감정을 명확히 표현하고, 타인의 말을 경청하며, 진정한 소통을 이루어야 합니다. 이는 상호 이해와 신뢰를 증진시키는 중요한 요소입니다.

이 책은 장년의 시기를 더욱 의미 있게 만들고, 인생의 후반부를 풍요롭고 만족스럽게 살아갈 수 있도록 돕는 지침서입니다. 공자의 지혜를 통해 우리는 자신을 돌아보고, 삶의 방향성을 재정립하며, 더욱 성숙한 삶을 살아갈 수 있습니다. 이 책이 여러분의 인생에 큰 도움이 되기를 바랍니다.

2024년 7월 5일

이명숙

- CONTENT -

제2부. 자기 극복

제3부. 자기 성장

1부
논어(論語) 인문학

자기이해

1. 마음이 젊어지려면

"군자는 진중하지 않으면 위엄이 없고, 배워야 고루하지 않게
된다."《논어, 학이편》

1. 학습의 중요성

현대 사회는 끊임없이 변화하고 있으며, 장년은 이러한 변화에
적응하기 위해 지속적인 학습이 필요합니다. 새로운 기술과 지식
을 습득하는 것은 단순히 지식을 넓히는 것을 넘어, 삶에 대한 새
로운 관점을 제공하고 마음을 젊게 유지하는 데 중요한 역할을
합니다. 새로운 언어를 배우거나 예술과 음악 수업에 참여하는 것
은 정신을 활성화시키고 인지 능력을 향상시키는 데 도움을 줍니
다. 이러한 활동은 뇌를 자극하여 새로운 신경 연결을 형성하고,
기억력과 집중력을 향상시킵니다. 또한, 학습은 사회적 연결을 강
화하여 더 나은 정신 건강을 유지하는 데 기여합니다. 연구에 따
르면 새로운 것을 배우고 도전적인 정신 활동에 참여하는 것이
뇌 건강을 유지하고 노화 과정을 늦추는 데 효과적입니다. 이러한
학습 활동은 우울증과 같은 정신 건강 문제를 예방하는 데도 도
움이 됩니다.

2. 자아실현과 자기발견

장년은 자신만의 정체성과 삶의 목적을 재평가하는 시기입니다. 이 과정에서 새로운 지식과 기술을 배우는 것은 자아실현의 중요한 수단이 됩니다. 새로운 학습은 자신의 가능성을 확장하고 새로운 경험을 통해 자신감을 쌓는 데 도움이 됩니다. 디지털 기술에 대한 교육을 받거나 새로운 취미를 발견하는 것은 자신의 능력을 시험하고 새로운 영역에서 성취감을 느끼게 합니다. 그림을 그리거나 악기를 배우는 것은 창의력을 자극하고 자기 표현의 기회를 제공합니다. 또한, 새로운 책을 읽거나 다양한 주제에 대한 강의를 듣는 것은 자신의 세계관을 넓히고, 더 깊이 있는 사고를 가능하게 합니다. 이러한 학습 과정은 단순히 지식의 확장에 그치지 않고 인생의 새로운 장을 여는 열쇠가 됩니다. 새로운 학습을 통해 얻는 성취감과 자기 발견은 삶의 만족도를 높이고, 미래에 대한 긍정적인 전망을 제공합니다.

3. 정신 건강과 학습의 관계

평생 학습은 정신 건강을 유지하는 데도 중요한 역할을 합니다. 새로운 것을 배우고 도전적인 정신 활동에 참여하는 것은 뇌의 건강을 유지하고, 노화 과정을 늦추며, 치매와 같은 노인성 질환의 위험을 줄입니다. 학습은 단순한 지적 활동을 넘어, 심리적인 안정과 만족감을 제공합니다. 예를 들어, 새로운 기술을 습득하거나 어려운 문제를 해결하는 과정에서 얻는 성취감은 정신 건강을 증진시키는 데 크게 기여합니다. 학습을 통해 얻는 새로운 지식은 사회적 대화에서 활력을 더하고, 더 나은 인간관계를 형성하는 데 도움을 줍니다. 이는 가족, 친구들과 관계를 더욱 풍요롭게 하며, 사회적 고립을 예방하는 데도 효과적입니다. 또한, 학습은 스트레스를 관리하는 데도 도움이 됩니다. 새로운 것을 배우는 과정에서 느끼는 즐거움과 만족감은 스트레스 호르몬의 분비를 줄이고, 전반적인 심리적 안정감을 높여줍니다.

결론적으로, 논어에서 언급된 **"군자는 배워야 고루하지 않게 된다"**는 말은 장년에게도 여전히 유효합니다. 지속적인 학습은 마음을 젊게 유지하고, 삶을 보다 풍요롭고 의미 있게 만드는 데 중요한 역할을 합니다. 이는 단순히 지식의 확장에 그치지 않고, 인생의 새로운 기회를 발견하며, 인생의 후반기를 더욱 의미 있고 충족감 있는 시간으로 만드는 방법입니다. 장년에도 학습의 여정은 계속되어야 하며, 이는 우리가 직면한 도전을 극복하고 새로운 기회를 발견하는 데 중요한 열쇠가 됩니다.

장년을 위한 인문학 코칭

1. 지속적인 학습과 성장을 추구하라

나이가 들어감에 따라 새로운 것을 배우는 것이 어렵지만, 지식을 쌓고 새로운 기술을 습득하는 것은 마음을 젊고 활기차게 유지하는 데 필수입니다. 장년은 온라인 강의, 커뮤니티 강좌, 독서 클럽 또는 취미 활동을 통해 계속해서 배우고 성장해야 합니다. 이러한 활동은 뇌를 자극하고, 새로운 관점을 제공하며, 삶에 대한 열정을 유지하는 데 도움이 됩니다.

2. 적극적으로 사회 활동에 참여하라

사회적 상호작용은 장년의 삶에 활력을 불어넣을 수 있습니다. 자원봉사, 클럽 활동, 지역 사회 모임에 참여하거나 가족과 친구와의 관계를 강화하는 것은 삶에 의미를 더하고 마음을 젊게 유지하는 데 중요합니다. 사회적 연결은 정서적 지지망을 구축하고, 외로움과 고립감을 줄이며, 삶의 질을 향상시킵니다.

3. 개방적이고 유연한 태도를 유지하라

변화를 수용하고 새로운 경험에 열려 있는 태도는 장년에게 매우 중요합니다. 새로운 기술, 문화적 경험, 여행 또는 창의적인 표현 방식에 열린 마음을 갖는 것은 자신의 경험을 풍부하게 하고, 새로운 관점을 얻으며, 삶에 대한 새로운 열정을 발견하는 데 도움이 됩니다. 유연성은 변화하는 세상에 적응하고, 끊임없이 발전하는 삶의 단계를 즐길 수 있게 합니다.

2. 말과 표정을 꾸미지 말라

"교묘한 말을 하고 얼굴빛을 꾸미는 사람 가운데 어진 이가 드물다."《논어, 학이편》

1. 진정성의 중요성

장년에게 진정성은 특히 중요한 덕목입니다. 인생의 많은 경험을 통해 얻은 지혜는 자신을 꾸미지 않고 진실된 모습으로 표현하는 것이 얼마나 가치 있는지 깨닫게 합니다. 공자는 **"교묘한 말을 하고 얼굴빛을 꾸미는 사람 가운데 어진 이가 드물다"**고 하며, 진정성의 중요성을 강조했습니다. 진정성은 타인과의 관계에서 신뢰와 존중의 기반이 됩니다.

꾸밈없는 말과 표정은 소통의 진실성을 높이며, 관계의 깊이와 의미를 증진시킵니다. 장년은 진정성을 통해 더 나은 인간관계를 구축합니다. 이는 자신의 감정과 생각을 솔직하게 표현하고, 상대방의 진심을 이해하려는 노력에서 시작됩니다. 진정성을 바탕으로 한 관계는 더 오래 지속되며, 깊은 신뢰와 애정을 키워 나가는 데 중요한 역할을 합니다.

2. 진정성 있는 소통의 실천

진정성 있는 소통은 자신의 진정한 감정과 생각을 솔직하게 표현하는 것을 의미합니다. 이는 때로 취약성을 드러내는 것을 포함할 수 있지만, 이러한 취약성은 인간 관계에서 진정한 연결을 만들어내는 데 필요합니다. 장년은 이를 통해 강력한 대인 관계를 구축하고, 주변 사람들과의 신뢰를 강화합니다. 가족이나 친구들과의 대화에서 자신의 진솔한 감정을 나누고, 상대방의 이야기에 귀 기울이는 것은 진정성 있는 소통의 핵심입니다. 이러한 소통 방식은 깊이 있는 인간 관계를 형성하고, 서로의 존재를 더욱 가치 있게 만듭니다. 진정성 있는 소통은 단순한 정보 교환을 넘어서, 서로의 마음을 이해하고 공감하는 과정을 포함합니다. 이는 오해와 갈등을 줄이고, 더 깊은 이해와 연대감을 형성하는 데 도움을 줍니다.

3. 장년의 진정성 실천

장년은 자신의 정체성과 가치관에 대한 확고한 이해를 바탕으로, 다른 사람들과의 소통에 있어 진정성을 실천할 수 있는 이상적인 시기입니다. 이 시기에 쌓인 지혜는 진정성 있는 소통의 중요성을 인식하고, 이를 실천하는 데 도움을 줍니다. 공자는 장년에게 말과 표정을 꾸미지 않고 진정성을 추구하는 삶의 중요성을 알려줍니다. 진정성 있는 소통은 신뢰와 존중을 바탕으로 한 강력한 인간 관계를 구축하는 데 필수입니다. 사회적 모임이나 직장 생활에서도 자신의 의견을 진솔하게 표현하고, 다른 사람들의 생각을 존중하는 태도를 유지하는 것은 매우 중요합니다. 진실과 정직을 바탕으로 한 소통은 우리의 관계를 깊게 하고, 삶을 더욱 풍요롭게 만듭니다. 이를 통해 장년은 자신과 타인에 대한 이해와 존중을 높이며, 의미 있는 삶을 영위할 수 있습니다. 사회적 압력이나 기대에 굴하지 않고, 자신의 진정한 모습을 드러내며 소통하는 것은 진정한 용기를 필요로 하지만, 그만큼 큰 보상을 가져다줍니다.

결론적으로, 진정성은 장년이 자신의 삶을 더욱 풍요롭게 만드는 데 중요한 요소입니다. 꾸밈없는 말과 표정은 진정성 있는 소통의 시작이며, 이는 신뢰와 존중을 바탕으로 한 강력한 인간 관계를 구축하는 데 필요합니다. 장년의 지혜와 경험은 진정성 있는 소통의 가치를 이해하고 실천하는 데 큰 도움이 됩니다. 공자가 강조한 진정성의 중요성을 마음에 새기며, 우리는 더 나은 인간 관계를 형성하고, 더욱 의미 있는 삶을 살아갑니다.

장년을 위한 인문학 코칭

1. 정직과 진실성을 추구하라

교묘한 말과 꾸민 표정 대신, 자신의 진심을 정직하게 표현하는 것이 중요합니다. 이는 타인과 관계에서 신뢰를 구축하고, 의사소통을 강화하는 기반이 됩니다. 장년은 삶의 경험을 통해 얻은 지혜를 바탕으로, 소통에서 정직과 진실성을 더욱 가치 있게 여겨야 합니다. 정직은 신뢰를 쌓고, 진정한 인간관계를 형성하는 데 필수입니다.

2. 소박함과 겸손을 유지하라

자신의 말과 행동에서 겸손과 소박함을 유지하는 것은 진정한 어진 사람의 특징입니다. 교묘한 말이나 외적인 표현에 의존하기보다는, 자신의 진정한 가치와 성격을 솔직하게 드러내야 합니다. 이는 타인과의 관계에서 진정한 존경과 이해를 얻는 데 도움이 됩니다. 소박함과 겸손은 진실된 소통을 가능하게 하고, 인간관계를 더욱 깊고 의미 있게 합니다.

3. 내면의 가치에 초점을 맞추라

외적인 모습이나 말솜씨에 의존하기보다는, 자신의 내면적 가치와 신념에 충실하게 살아가야 합니다. 장년은 자신이 살아온 삶과 이를 통해 얻은 교훈에 기반하여, 내면의 가치를 중시하고 이를 행동으로 옮기는 것이 중요합니다. 이는 자신뿐만 아니라 주변 사람들에게도 긍정적인 영향을 미칩니다. 자신의 신념에 충실한 삶은 더 큰 만족감을 줍니다. 내면의 가치에 충실한 삶은 장년기의 지혜를 바탕으로 사회에 귀감이 됩니다.

3. 남의 말에 귀를 기울여라

"나는 열다섯에 학문에 뜻을 두었고, 서른 살에 자립했다. 마흔 살이 되어서는 흔들리지 않게 되었고, 쉰 살에 하늘의 뜻을 알게 되었다. 예순 살에 남이 하는 말을 순조롭게 이해했으며, 일흔 살에는 마음 가는 대로 따라 해도 법도에 어긋나지 않았다."《논어, 위정편》

1. 남의 말을 경청하는 중요성

장년은 인생의 긴 여정을 통해 풍부한 지식과 지혜를 축적해왔습니다. 그러나 공자의 말처럼, 남의 말을 순조롭게 이해하는 능력은 매우 중요합니다. 공자는 **"예순 살에 남이 하는 말을 순조롭게 이해했다"**고 했습니다. 이는 상대방의 관점을 존중하고, 다양한 의견을 수용할 수 있는 능력을 의미합니다. 장년은 자신의 경험과 지혜에 대한 확신이 강하지만, 다른 사람의 의견을 경청함으로써 더 균형 잡힌 결정을 내립니다. 이는 상호 존중의 표현일 뿐만 아니라, 더 나은 사회적 상호작용을 가능하게 합니다. 남의 말을 경청하는 태도는 대화와 협력의 길을 열어주며, 갈등을 해소

하고 평화롭고 조화로운 관계를 구축하는 데 기여합니다. 가족이나 친구들과의 대화에서 상대방의 말을 진지하게 듣고 이해하려는 노력은 관계를 더욱 강화하고 깊게 만듭니다.

2. 경청을 통한 성장과 발전

남의 말을 경청하는 것은 개인의 성장과 발전에 있어서도 중요한 요소입니다. 장년은 다양한 삶의 경험을 통해 많은 지혜를 얻었지만, 새로운 관점과 아이디어를 받아들이는 것은 여전히 중요합니다. 다른 사람의 의견을 수용함으로써 우리는 자신의 사고방식을 확장하고, 보다 유연한 사고를 개발합니다. 이는 새로운 문제 해결 방법을 찾고, 창의적인 해결책을 모색하는 데 도움이 됩니다. 또한, 지속적인 학습과 개인적 발전을 통해 장년은 자신의 삶에 대한 새로운 의미와 목적을 발견합니다. 경청은 단순히 다른 사람의 말을 듣는 것을 넘어서, 그들의 경험과 지혜를 자신의 것으로 만드는 과정입니다. 이는 개인적인 성장뿐만 아니라, 더 나은 인간관계를 형성하고 사회적 유대를 강화하는 데도 큰 도움이 됩니다.

3. 깊은 소통과 관계의 재평가

장년은 인생의 여정에서 자신과 주변 사람들과의 관계를 재평가할 수 있는 시기입니다. 남의 말을 경청하는 것은 이러한 관계를 더욱 깊고 의미 있게 만드는 데 필수입니다. 공자는 일흔 살에 **"마음 가는 대로 따라 해도 법도에 어긋나지 않았다"**고 말했습니다. 이는 내면의 지혜와 세상을 바라보는 깊은 이해가 있음을 의미합니다. 장년은 이러한 지혜를 바탕으로 다른 사람들과의 소통에 있어서 진정성과 존중을 실천합니다. 남의 말을 경청함으로써 우리는 상대방의 입장에서 사물을 볼 수 있게 되고, 더 넓은 시각을 가집니다. 이는 우리가 더 나은 인간관계를 형성하고, 더욱 풍요로운 삶을 살아가는 데 도움이 됩니다.

결론적으로, 남의 말을 경청하는 것은 장년이 자신의 삶을 더욱 풍요롭게 만드는 데 중요한 요소입니다. 이는 단순히 다른 사람의 의견을 듣는 것을 넘어서, 상호 존중과 이해를 바탕으로 한 깊은 소통을 의미합니다. 공자의 가르침에서 알 수 있듯이, 나이가 들수록 우리는 세상과 타인을 더 넓은 시각으로 보게 됩니다. 이는 우리가 다른 사람들의 말을 더 잘 이해하고, 그들의 관점에서 사물을 볼 수 있게 해줍니다. 장년은 자신의 지혜와 경험을 바탕으로 이러한 경청의 덕목을 실천함으로써, 더욱 의미 있는 삶을 영위합니다.

장년을 위한 인문학 코칭

1. 경청과 이해를 통한 소통을 강화하라

장년은 다른 사람의 의견과 생각에 귀 기울이는 것이 중요합니다. 이는 깊은 소통을 가능하게 하며, 관계를 강화하는 열쇠가 됩니다. 타인의 말을 경청하고 이해하는 능력은 갈등을 예방하고 해결하는 데 도움이 되며, 서로 다른 관점을 존중하는 문화를 조성합니다. 경청은 타인에 대한 존중을 보여주고, 서로의 생각을 이해하게 합니다.

2. 유연성과 개방성을 유지하라

나이가 들수록 자신의 신념과 가치관에 대한 확신이 강해지지만, 새로운 아이디어와 변화에 대해 열린 마음을 유지하는 것이 중요합니다. 유연성과 개방성은 새로운 경험을 받아들이고, 지속적인 성장과 발전을 가능하게 합니다. 이는 자신뿐만 아니라 주변 사람들과의 관계에도 긍정적인 영향을 미칩니다. 변화에 대한 개방성은 삶을 더욱 풍요롭게 만듭니다.

3. 내면의 평화와 조화 추구

공자가 말한 "마음 가는 대로 따라 해도 법도에 어긋나지 않는다"는 말은 내면의 평화와 조화를 이루었음을 의미합니다. 장년은 내면의 목소리에 귀 기울이고, 자신의 행동과 결정이 가치관과 일치하는지 확인하는 것이 중요합니다. 이는 삶의 만족도를 높이고, 자신과 타인에 대한 이해와 존중을 높여줍니다. 내면의 조화는 외부와의 조화를 이루는 데 중요한 역할을 합니다.

4. 말은 줄이고 행동을 늘려라

"군자란 말보다 앞서 행동을 하고 그 다음에 그에 따라 말을 한다."《논어, 위정편》

1. 행동의 중요성

장년은 말보다 행동이 더욱 중요한 시기입니다. 공자가 말한 **"군자란 말보다 앞서 행동을 하고 그 다음에 그에 따라 말을 한다"**는 원칙은 특히 장년에게 깊은 의미를 갖습니다. 인생의 많은 경험을 통해 축적된 지혜는 이제 말이 아닌 행동으로 표현될 때 더 큰 가치를 발휘합니다. 말은 의사소통의 기본 도구이지만, 진정한 변화와 영향은 행동을 통해 이루어집니다. 자신의 가치와 신념을 행동으로 옮기는 것은 주변 사람들에게 긍정적인 모범을 보이고, 실질적인 변화를 촉진하는 가장 강력한 방법입니다. 장년은 자신의 행동이 타인에게 미치는 영향을 잘 이해하고 있으며, 이를 통해 사회적, 가족적, 개인적으로 중요한 변화를 이끌어냅니다.

많은 사람들이 건강의 중요성을 말하지만, 실제로 운동을 실천하는 사람은 그리 많지 않습니다. 장년은 이러한 차이를 이해하고, 자신의 행동을 통해 건강을 유지하고 증진시키는 데 중점을 뒤야 합니다. 단순히 운동의 중요성을 말하는 것보다, 매일 꾸준히 운동을 실천하는 모습은 주변 사람들에게 큰 영감을 줍니다.

2. 실천의 중요성

장년은 삶의 다양한 분야에서 축적된 지식과 경험을 바탕으로, 실천의 중요성을 더 잘 이해합니다. 말로만 끝나는 계획이 아니라, 구체적인 행동으로 옮기는 것이 목표 달성과 자기 발전에 필수입니다. 이는 개인적인 성장뿐만 아니라, 사회적, 가족적 차원에서도 중요한 영향을 미칩니다. 예를 들어, 경제적인 안정을 위해 절약과 투자의 중요성을 강조하는 것보다 실제로 재정을 관리하고 투자를 실천하는 것이 더 큰 효과를 발휘합니다.

장년은 이러한 실천의 중요성을 인식하고, 자신의 행동을 통해 긍정적인 변화를 추구해야 합니다. 말로만 끝나는 것이 아니라, 실제 행동을 통해 목표를 달성하는 과정은 자신에게도 큰 만족감을 줍니다. 이는 단순히 개인적인 만족을 넘어서, 주변 사람들에게도 큰 영향을 미칩니다.

3. 행동으로 본보기를 보이기

장년은 자신의 지혜와 가르침을 다음 세대에 전달하는 중요한 역할을 합니다. 말로 하는 가르침도 중요하지만, 직접적인 행동으로 보여주는 것이 더욱 강력한 영향을 미칩니다. 행동으로 본보기를 보임으로써, 장년은 자신의 가치와 신념을 다음 세대에 효과적으로 전달합니다. 정직과 성실함의 중요성을 강조하는 것보다 실제로 정직하고 성실하게 행동하는 것이 더 큰 교육적 효과를 줍니다.

장년은 자신의 행동을 통해 다음 세대에게 중요한 가르침을 전달하고, 사회적 책임을 다합니다. 이는 단순히 말로만 끝나는 것이 아니라, 실질적인 변화를 이끌어내는 힘을 보여줍니다. 사회봉사 활동에 참여하거나, 지역 사회의 발전을 위해 노력하는 모습은 다음 세대에게 큰 영감을 줍니다. 이는 단순히 개인의 만족을 넘어서, 사회 전체에 긍정적인 영향을 미치는 중요한 행동입니다.

결론적으로, 장년에게 **"말은 줄이고 행동은 늘려라"**는 원칙은 매우 중요한 의미를 갖습니다. 말보다는 행동으로 자신의 가치와 신념을 표현하는 것이 더 큰 영향력을 발휘합니다. 장년이 되어서도 계속해서 자신의 행동을 통해 긍정적인 변화를 추구하고, 주변 사람들에게 본보기를 보이며, 다음 세대에 지혜를 전달하는 것은 매우 가치 있는 일입니다. 이를 통해 장년은 자신뿐만 아니라 사회 전체에 긍정적인 영향을 미칩니다. 공자의 가르침을 마음에 새기며, 우리는 더 나은 인간 관계를 형성하고, 더욱 의미 있는 삶을 살아갑니다.

장년을 위한 인문학 코칭

1. 모범을 보이며 리더십을 발휘하라

장년은 사회와 커뮤니티에서 중요한 역할을 합니다. 이들은 자신의 행동으로 모범을 보임으로써 다음 세대와 주변 사람들에게 긍정적인 영향을 끼칩니다. 따라서, 말로만 가르치기보다는 실제 행동으로 가치와 원칙을 실천함으로써 진정한 리더십을 발휘해야 합니다. 리더십은 단순히 지시하는 것이 아니라, 행동으로 본을 보입니다.

2. 경험과 지혜를 실천으로 전달하라

장년은 삶에서 얻은 풍부한 경험과 지혜를 가지고 있습니다. 이러한 지혜를 단순한 말이 아니라, 구체적인 행동과 결정을 통해 전달하는 것이 중요합니다. 실천을 통해 자신의 지식을 공유하고, 주변 사람들에게 실질적인 도움과 영감을 줍니다. 재정 관리나 건강 유지에 대한 경험을 행동으로 보여줌으로써 더 큰 영향을 미칩니다.

3. 내면의 가치와 신념을 행동으로 증명하라

진정성 있는 삶을 살기 위해서는 내면의 가치와 신념이 일치하는 행동을 해야 합니다. 장년은 말보다는 행동으로 자신의 가치를 증명하는 것이 더욱 중요합니다. 이는 자신의 신념을 강화하고, 타인에게도 진정성을 전달하는 가장 강력한 방법입니다. 정직과 성실함을 행동으로 보여줌으로써 더 깊은 신뢰를 쌓습니다.

5. 잘못을 고치지 않는 것이 가장 큰 잘못이다

"잘못이 있어도 고치지 않는 것, 이것이 바로 잘못이다."《논어, 위령공편》

1. 잘못을 인정하는 용기

장년은 수십 년간의 경험과 지혜를 가지고 있지만, 잘못을 인정하는 것은 여전히 어려운 일입니다. 공자가 말한 **"잘못이 있어도 고치지 않는 것, 이것이 바로 잘못이다"**는 말은 중요합니다. 실수를 인정하고 사과하는 것은 약점을 드러내는 것이 아니라, 오히려 성숙함과 자기 성찰의 표현입니다. 자신의 지위나 경험 때문에 실수를 인정하기 어려워하는 태도는 개인의 성장을 방해할 뿐만 아니라, 주변 사람들과의 관계에도 부정적인 영향을 미칩니다. 장년은 자신이 저지른 잘못을 겸허히 인정하고 이를 고치는 용기를 가져야 합니다. 이는 진정한 성숙함을 보여주는 것이며, 가족과 친구들에게도 좋은 본보기가 됩니다. 용기를 내어 잘못을 인정하고 이를 바로잡는 과정은 개인의 성장을 촉진하며, 더 나은 인간관계를 구축하는 데 큰 도움이 됩니다.

2. 변화에 대한 개방성과 유연성

사회와 기술은 끊임없이 변화하고 발전합니다. 장년은 때때로 이러한 변화에 적응하는 데 어려움을 겪습니다. 과거의 성공 방식이나 전통적인 가치관에 얽매여 현재의 변화를 받아들이지 못하는 것도 하나의 '잘못'이 됩니다. 변화에 개방적이고 유연한 태도를 갖는 것은 개인의 발전뿐만 아니라, 세대 간의 소통과 이해를 증진시키는 데도 중요합니다. 새로운 기술을 배우거나 새로운 사회적 트렌드를 이해하려는 노력은 장년의 삶을 더욱 풍요롭게 만들고, 자녀나 손주들과의 대화에서도 더 나은 이해와 공감을 이끌어냅니다. 변화에 대한 개방성은 개인의 성장뿐만 아니라, 가족과 사회 전체의 조화로운 발전에도 기여합니다. 디지털 기술의 발전에 적응하는 것은 단순한 기술 습득을 넘어, 젊은 세대와의 소통을 원활하게 하고, 새로운 기회를 창출하는 데 도움이 됩니다.

3. 자기 성찰과 성장

인생의 후반에 접어들면서 많은 사람들이 자신의 삶을 돌아보게 됩니다. 이 시기에는 자신의 잘못을 반성하고 새로운 것을 배우려는 태도가 매우 중요합니다. 잘못을 고치려는 노력은 자신뿐만 아니라 주변 사람들에게도 긍정적인 영향을 미칩니다. 자기 성찰을 통해 얻은 교훈은 다음 세대에게 전달되는 소중한 지혜가 됩니다. 과거의 실수를 돌아보고 이를 고치기 위한 구체적인 계획을 세우는 것은, 다음 세대에게도 중요한 교훈이 됩니다. 잘못을 고치는 과정에서 얻는 경험은 장년에게도 새로운 자신감을 부여하고, 삶의 목적을 재정립하는 데 도움이 됩니다. 자기 성찰은 단순히 과거를 반성하는 것을 넘어서, 더 나은 미래를 위한 준비를 포함합니다.

　결론적으로, 장년이 자신의 잘못을 인정하고 고치려는 태도를 갖는 것은 개인의 성장과 성숙, 그리고 주변 사람들과의 관계 개선에 있어 중요한 역할을 합니다. 공자의 말처럼, 잘못을 인정하고 고치지 않는 것이 가장 큰 잘못일 수 있습니다. 인생의 황혼기에 접어들었을지라도, 항상 배우고 성장하는 자세를 유지하는 것이 중요합니다. 잘못을 인정하고 고치려는 노력은 단순히 개인적인 차원을 넘어서, 세대 간의 이해와 소통을 증진시키고, 사회 전체의 긍정적인 변화를 이끌어냅니다. 장년은 이러한 노력을 통해 더 나은 자신과 더 나은 사회를 만들어 나아갑니다.

장년을 위한 인문학 코칭

1. 성찰로 삶을 개선하라

장년은 인생의 경험을 통해 얻은 지혜를 바탕으로 자기 성찰의 중요성을 인식해야 합니다. 정기적으로 자신의 행동과 태도를 되돌아보고, 잘못된 점이 있다면 적극적으로 개선하는 자세가 필요합니다. 이는 개인의 성장은 물론, 주변 사람들과의 관계 개선에도 긍정적인 영향을 미칩니다. 자기 성찰을 통해 얻은 교훈은 삶을 더욱 의미 있게 만들어줍니다.

2. 세상에 대해 열린 마음을 가져라

변화하는 세상에 대한 개방성과 유연성을 갖는 것이 중요합니다. 새로운 아이디어와 기술, 그리고 다양한 세대의 사고방식을 수용하려는 태도는 장년이 사회적으로 활발하게 활동하는 데 도움이 됩니다. 또한, 이러한 태도는 세대 간의 격차를 줄이고, 보다 조화로운 사회를 만드는 데 기여합니다. 변화에 대한 개방성은 개인의 성장뿐만 아니라, 사회적 연대감을 강화합니다.

3. 역할 모델로서의 책임감을 가져라

장년은 자신의 행동과 태도로 다음 세대에게 긍정적인 영향을 줄 수 있는 역할 모델이 될 수 있습니다. 자신의 잘못을 인정하고 고치려는 모습은, 책임감 있고 성숙한 행동의 중요성을 다음 세대에게 전달합니다. 이는 가족, 친구, 그리고 지역 사회 내에서의 긍정적인 변화를 촉진할 수 있습니다. 역할 모델로서 책임감을 실천하는 것은 사회 전체의 발전에도 중요한 역할을 합니다.

6. 높은 수준의 배움을 추구하라

"태어나면서도부터 아는 사람은 최상이고, 배워서 아는 사람은 그 다음이며, 곤란한 지경에 처하여 배우는 사람은 또 그 다음 이고, 곤란한 지경에 처하여도 배우지 않는 사람은 백성들 중에서도 최하이다."《논어, 계씨편》

1. 자연스럽게 아는 단계

장년은 인생의 긴 여정을 통해 자신이 타고난 재능과 본능적 능력을 인식하고 이를 활용할 수 있는 시기입니다. 공자는 **"태어나면서부터 아는 사람은 최상"**이라고 했습니다. 이는 타고난 재능을 의미하며, 이러한 재능은 인생의 다양한 영역에서 발휘합니다. 장년은 자신의 강점을 재발견하고 이를 통해 새로운 목표를 설정하는 데 집중합니다.

예술적 재능을 가진 사람은 새로운 창작 활동을 통해 자신의 삶을 풍요롭게 만듭니다. 또한, 이러한 재능은 다른 사람들과의 관계에서도 긍정적인 영향을 미치며, 자신의 경험과 지혜를 다음 세대에게 전수하는 데 중요한 역할을 합니다.

2. 배워서 아는 단계

두 번째 단계는 배우고 노력하여 지식을 습득하는 과정입니다. 공자는 **"배워서 아는 사람은 그 다음"**이라고 했습니다. 장년에게 이 단계는 평생 학습의 중요성을 강조합니다. 새로운 기술을 배우고, 새로운 취미를 개발하는 것은 정신적, 육체적 건강을 유지하는 데 큰 도움이 됩니다. 새로운 언어를 배우거나 컴퓨터 기술을 익히는 것은 장년의 삶을 더욱 활기차게 만듭니다. 또한, 이러한 학습 과정은 자아실현의 기회를 제공하며, 개인의 자신감을 높여줍니다. 장년은 배움의 즐거움을 다시 발견하고, 이를 통해 삶의 질을 높여줍니다.

3. 어려움을 겪으면서 배우는 단계

세 번째 단계는 곤란한 상황에서 배우는 것입니다. 공자는 **"곤란한 지경에 처하여 배우는 사람은 또 그 다음"**이라고 했습니다. 인생에서 도전과 어려움을 겪는 것은 불가피하지만, 이러한 경험을 통해 얻는 교훈은 매우 귀중합니다. 장년은 이미 많은 도전을 겪어왔으며, 이러한 경험은 중요한 지혜를 제공합니다. 건강 문제나 경제적 어려움을 극복한 경험은 다른 사람들에게 귀중한 조언이 됩니다. 또한, 이러한 어려움에서 배운 교훈은 미래의 도전에 대비하는 데 도움이 됩니다. 장년은 어려움을 통해 얻은 지혜를 바탕으로 더 나은 결정을 내립니다.

4. 어려움을 겪어도 배우지 않는 단계

마지막 단계는 어려움을 겪으면서도 배우지 않는 것입니다. 공자는 **"곤란한 지경에 처하여도 배우지 않는 사람은 백성들 중에서도 최하"**라고 했습니다. 이는 변화와 도전에 대한 개방성을 유지하지 않는 태도를 의미합니다. 장년은 자신의 경험을 바탕으로 새로운 것을 배우고자 하는 자세를 가져야 합니다. 어려움에서도 배움을 멈추지 않는 태도는 개인의 성장과 발전에 필수입니다. 예를 들어, 새로운 환경에 적응하거나 새로운 기술을 습득하려는 노력은 장년의 삶을 더욱 풍요롭게 만듭니다. 변화에 대한 개방성과 유연성을 유지하는 것은 세대 간의 소통과 이해를 증진시키는 데도 중요합니다.

결론적으로, 장년은 배움의 네 가지 단계를 통해 자신의 삶을 돌아보고 앞으로 나아갈 방향을 설정합니다. 타고난 재능을 발휘하고, 새로운 지식과 기술을 습득하며, 어려움을 통해 교훈을 얻고, 변화에 대한 개방성을 유지하는 것이 중요합니다. 이러한 배움의 여정을 통해 장년은 더욱 풍요롭고 의미 있는 삶을 살아갑니다.

장년을 위한 인문학 코칭

1. 내면의 지혜와 본능을 신뢰하라

태어나면서부터 아는 것, 즉 내면의 지혜와 본능을 신뢰하고 활용해야 합니다. 장년은 오랜 경험을 통해 터득한 직관과 본능적인 판단력을 가지고 있습니다. 이를 통해 삶의 결정을 내리고, 자신만의 독특한 방식으로 문제를 해결해 나갑니다. 이러한 내면의 지혜는 인생의 중요한 순간에 큰 힘이 되며, 직관을 따라 행동하는 것이 종종 최선의 선택임을 깨닫게 합니다.

2. 지속적인 학습과 성장 추구하라

배워서 아는 단계에 해당하는, 새로운 지식과 기술을 적극적으로 배우려는 태도를 유지해야 합니다. 장년이라 할지라도, 새로운 취미를 갖거나, 새로운 기술을 배우거나, 새로운 지식을 탐구하는 것은 정신적 유연성을 유지하고, 삶을 더욱 풍요롭게 만듭니다. 예를 들어, 새로운 언어를 배우거나 디지털 기술을 익히는 것은 새로운 도전이자 큰 즐거움이 됩니다.

3. 도전과 어려움을 성장의 기회로 삼아라

곤란한 지경에 처하여 배우는 단계에서, 인생의 어려움과 도전을 성장과 배움의 기회로 삼아야 합니다. 장년은 인생에서 많은 도전을 경험했을 것입니다. 이러한 도전을 긍정적으로 받아들이고, 이를 통해 더욱 성장하며 삶의 지혜를 쌓아가야 합니다. 어려운 상황에서도 배우려는 자세를 유지하면, 그 과정에서 얻는 교훈은 더욱 값집니다.

7. 널리 배우고 예(禮)로
감정을 다스려라

"군자가 글을 널리 배우고 예로써 단속한다면, 또한 도리에 어긋나지 않을 것이다." 《논어, 옹야편》

1. 널리 배우기의 중요성

장년에게 '널리 배우기'는 단순히 새로운 지식을 습득하는 것을 넘어, 삶의 경험을 통해 얻은 지혜를 다양한 분야에 적용하고 확장하는 과정을 의미합니다. 이는 새로운 취미나 기술뿐만 아니라, 인간관계, 문화, 철학 등 여러 영역에서의 학습을 포함합니다. 새로운 언어를 배우거나 예술 활동에 참여하는 것은 정신적 활력을 불어넣고, 자신을 더욱 풍요롭게 만듭니다. 또한, 이러한 배움은 다른 세대와의 소통을 원활하게 하고, 더 넓은 시각을 가질 수 있게 합니다. 장년은 평생 학습을 통해 끊임없이 성장하고, 자신을 재발견하며, 더 나은 삶을 추구할 수 있습니다. 이는 단순히 지식의 확장이 아니라, 자신의 삶을 더욱 풍요롭게 하고, 다양한 경험을 통해 얻은 통찰을 다른 사람들과 나눔으로써, 더 깊은 인간관계를 형성하는 데에도 큰 도움이 됩니다.

2. 예(禮)로 감정을 다스리기

예(禮)는 동양 철학에서 중요한 개념으로, 예절, 도덕, 규범 등을 포괄합니다. 공자는 **"군자가 글을 널리 배우고 예로써 단속한다면, 또한 도리에 어긋나지 않을 것이다"**라고 했습니다. 이는 자신의 행동과 감정을 도덕적 기준과 균형을 통해 조절하는 것을 의미합니다. 장년은 예를 통해 자신의 감정을 다스리며, 가족, 친구, 사회와의 관계에서 존중과 이해를 바탕으로 한 조화로운 상호작용을 실천합니다. 예를 실천함으로써, 감정의 격동을 조절하고, 상황에 적절하게 대응하는 능력을 키울 수 있습니다. 이는 스트레스와 갈등을 줄이고, 더 평화롭고 안정된 삶을 가능하게 합니다.

예는 단순한 예절을 넘어, 사회적 규범과 도덕적 가치의 실천을 의미합니다. 장년이 예를 통해 감정을 다스리는 것은, 자신의 내면을 평화롭게 유지하며, 타인과의 관계를 조화롭게 유지하는 데 중요합니다. 예를 실천하는 과정에서 우리는 자신의 감정을 억제하고, 상황에 따라 적절한 대응을 하는 법을 배우게 됩니다. 이는 가족 내에서의 갈등을 줄이고, 친구나 동료와의 관계를 더욱 돈독하게 만듭니다.

3. 자기계발과 사회적 조화 추구

장년이 널리 배우고 예로 실천하는 삶은 자기계발과 사회적 조화를 동시에 추구하는 것을 의미합니다. 이는 개인의 내면적 성장을 넘어서, 사회적인 책임과 역할을 수행하는 데 필수입니다. 널리 배움으로 얻은 지혜와 예를 통한 감정의 조절은 장년이 사회의 어른으로서 모범을 보이고, 다음 세대에 긍정적인 영향을 미치는 데 중요한 역할을 합니다. 자원봉사나 지역 사회 활동에 참여함으로써, 자신의 경험과 지혜를 나누고, 사회적 연대를 강화합니다.

결론적으로, 장년이 널리 배우고 예(禮)로 감정을 다스리는 삶을 실천함으로써, 개인적인 성취와 함께 사회적인 조화와 행복을 추구합니다. 이러한 삶의 방식은 장년에게만 국한되지 않고, 모든 세대에게 모범이 되며, 세대 간의 소통과 이해를 높여줍니다. 널리 배움을 통해 지식의 지평을 넓히고, 감정을 조절하며 대인 관계에서의 조화를 이루는 것은 사회 구성원으로서의 책임감과 성숙함을 나타냅니다.

장년을 위한 인문학 코칭

1. 폭넓은 지식과 경험을 추구하라

장년은 다양한 분야에 대한 지식을 널리 배우며 평생 학습의 자세를 가져야 합니다. 책을 읽고, 강연을 듣고, 새로운 기술이나 취미를 배우는 것이 포함됩니다. 이는 지적 호기심을 충족시키고, 사고의 폭을 넓히며, 삶을 더욱 풍부하게 만듭니다. 또한, 다양한 주제에 대한 지식을 습득함으로써 다른 사람들과의 대화에서 더 깊이 있는 소통을 합니다.

2. 도덕적 원칙과 예절을 실천하라

예(禮)는 도덕적 원칙과 사회적 예절을 의미합니다. 장년은 자신의 행동과 감정을 예의 범주 내에서 조절하며, 다른 사람들과의 관계에서 존중과 배려의 태도를 보여야 합니다. 이는 개인의 품격을 높이고, 주변 사람들과의 조화로운 관계를 유지하는 데 기여합니다. 공자의 가르침을 바탕으로, 장년은 사회에서 모범이 되는 행동을 보여야 합니다.

3. 감정의 조절과 자기 반성을 하라

장년은 감정의 격동을 예로써 단속하고, 자신의 행동과 반응에 대해 깊이 반성하는 태도를 가져야 합니다. 이는 갈등 상황에서 침착함을 유지하고, 합리적이고 성숙한 결정을 내리는 데 도움이 됩니다. 자기 반성을 통해, 장년은 계속해서 성장하고 발전할 수 있습니다. 이를 통해, 장년은 더 나은 삶을 살아가며, 타인에게도 긍정적인 영향을 미칩니다.

8. 마음에 새기고, 배우고, 가르쳐라

"묵묵히 마음속에 새겨 두고, 배움에 싫증 내지 않으며, 남을 가르치기를 게을리 하지 않는 것, 이런 일들이 나에게 무슨 문제가 되겠는가?"《논어, 옹야편》

1. 마음에 새기기

장년은 인생의 긴 여정을 통해 많은 지식과 경험을 쌓아왔습니다. 공자는 **"묵묵히 마음속에 새겨 두고"**라고 했습니다. 이는 자신이 경험하고 배운 교훈을 내면화하는 과정을 의미합니다. 장년에게 이 과정은 인생에서 배운 교훈을 반성하고, 그 의미를 깊이 이해하며, 자신의 삶에 적용하는 것을 뜻합니다. 이 과정에서 장년은 지난 시간을 돌아보고, 자신의 행동과 결정에 대해 성찰할 수 있습니다. 이러한 성찰은 성숙한 인격을 다져나가는 데 중요한 역할을 합니다. 인생의 다양한 경험을 통해 얻은 지혜를 마음에 새기는 것은 자신의 가치를 재확인하고, 앞으로의 삶의 방향을 설정하는 데 큰 도움이 됩니다. 마음에 새긴 교훈은 인생의 지침서가 되어 주며, 장년은 이를 통해 더욱 의미 있는 삶을 살아갑니다.

2. 배움에 싫증 내지 않기

배움에 싫증 내지 않는다는 것은 평생 학습의 자세를 갖추는 것을 의미합니다. 공자는 **"배움에 싫증 내지 않는다"**고 했습니다. 장년에게 있어 새로운 지식과 기술을 배우는 것은 정신적 유연성을 유지하고, 사회적 변화에 적응하는 데 필수입니다. 새로운 언어를 배우거나 컴퓨터 기술을 익히는 것은 장년의 삶을 더욱 활기차게 만듭니다. 또한, 이러한 학습 과정은 자신감을 높이고, 삶에 새로운 목적과 의미를 부여합니다. 배움의 즐거움을 유지하는 것은 장년이 계속해서 성장하고, 자신을 재발견하며, 더 나은 삶을 추구하는 데 중요한 요소입니다. 평생 학습은 나이가 들어도 끊임없이 자신을 발전시키고, 세상과 소통하는 방법을 배우는 과정입니다. 이는 장년이 사회의 일원으로서 계속해서 활발하게 참여하고 기여할 수 있게 해줍니다.

3. 가르치기를 게을리 하지 않기

장년이 가진 지혜와 경험을 남에게 전달하는 것은 사회적 책임과 기여를 의미합니다. 공자는 **"남을 가르치기를 게을리 하지 않는다"**고 했습니다. 가족, 친구, 지역 사회 내에서 자신이 배운 것을 공유함으로써, 장년은 다음 세대에 긍정적인 영향을 미칩니다. 이는 세대 간의 연결고리를 강화하고, 사회적 유대를 증진하는 데 중요한 역할을 합니다. 자녀와 손주에게 삶의 교훈을 이야기하거나, 지역 사회에서 멘토 역할을 하는 것은 매우 가치 있는 일입니다. 가르침은 단순히 지식을 전달하는 것을 넘어서, 인간관계를 풍요롭게 하고, 공동체의 발전에 기여하는 중요한 행위입니다. 가르치는 과정에서 장년은 자신의 경험과 지혜를 나누며, 이를 통해 공동체 내에서 존경과 감사를 받게 됩니다.

결론적으로, 장년에게 **"마음에 새기고, 배우고, 가르쳐라"**는 주제는 자기 성찰, 평생 학습, 그리고 지식의 전달이라는 세 가지 주요 측면에서 중요한 의미를 갖습니다. 자신의 경험을 마음에 새기고, 배움에 대한 열정을 유지하며, 자신의 지혜를 남에게 전달하는 것은 장년이 사회 내에서 중요한 역할을 수행하고, 인생의 후반부를 더욱 의미 있고 충실하게 만들어줍니다. 이러한 접근 방식을 통해, 장년은 자신의 삶을 계속해서 풍요롭게 하고, 주변 사람들에게 긍정적인 영향을 미치며, 사회 전체에 기여하는 모범적인 존재가 됩니다.

장년을 위한 인문학 코칭

1. 평생 학습의 자세를 유지하라

장년은 새로운 지식과 기술을 배우는 데 열린 마음을 가져야 합니다. 배움에 대한 열정을 유지하며, 다양한 분야에서 지식을 확장하는 것이 중요합니다. 이는 정신적 유연성을 유지하고, 삶에 대한 새로운 관점을 제공하며, 세대 간의 소통을 증진시킬 수 있습니다. 지속적인 학습은 뇌 건강을 유지하고, 노화를 늦추는 데도 도움이 됩니다.

2. 도덕적 원칙과 예절을 존중하며 살아가라

장년은 자신의 행동과 결정에 있이시 예의 기준을 적용해아 합니다. 이는 감정을 적절히 조절하고, 타인과의 관계에서 존중과 이해를 실천하는 데 도움이 됩니다. 예를 통해 감정을 다스리는 것은 개인의 내면적 평화는 물론, 사회적 조화를 이루는 데 기여합니다. 존중과 예절을 통해 세대 간 갈등을 줄이고, 더 나은 사회를 만드는데 앞장설 수 있습니다.

3. 지식과 경험을 다음 세대에 전달하라

장년은 자신이 쌓아온 지식과 경험을 남에게 가르치는 것을 게을리하지 않아야 합니다. 이는 다음 세대에게 지혜를 전달하고, 그들의 성장을 돕는 동시에, 사회적 유대와 연결성을 강화하는 데 중요한 역할을 합니다. 지식을 공유하고 가르침으로써, 장년은 자신의 삶에 더 큰 의미와 목적을 부여합니다. 다음 세대는 이를 통해 더 나은 미래를 준비합니다.

9. 나아갈지, 머무를 지는 내가 결정한다

"비유하자면 산을 쌓다가 한 삼태기의 흙이 모자라는 상황에서 그만두었다 하더라도 그것은 내가 그만둔 것이다. 또한 비유하자면, 땅을 평평하게 하기 위해 한 삼태기의 흙을 갖다 부었어도 일이 진전되었다면 그것은 내가 나아간 것이다."《논어, 자한편》

1. 선택의 중요성

장년에는 여전히 많은 선택과 기회가 펼쳐져 있습니다. 공자는 "산을 쌓다가 한 삼태기의 흙이 모자라는 상황에서 그만두었다 하더라도 그것은 내가 그만둔 것이다"라고 했습니다. 이는 우리의 노력과 결정이 삶의 진행 방향을 결정한다는 의미입니다. 장년은 삶의 경험이 풍부하고, 많은 결정을 내려본 경험이 있습니다. 이 시기에는 자신의 선택에 대한 깊은 이해와 책임감이 요구됩니다. 중요한 결정을 내릴 때, 그 결정이 진전이든 중단이든, 그것은 자신의 의지와 판단에 달려 있다는 것을 인식하는 것이 중요합니다. 장년은 자신의 삶을 주도적으로 이끌어 나가는 능력을 가지고 있으며, 이를 통해 더 의미 있는 삶을 살아갑니다. 모든 결정은 삶의 일부이며, 그 선택들은 우리의 인생 궤적을 형성합니다. 따라서 장년은 더욱 신중하고 주도적인 선택을 통해 자신에게 맞는 길을 개척해야 합니다.

2. 성장과 발전의 기회

장년은 여전히 성장과 발전의 기회가 풍부한 시기입니다. 새로운 기술을 배우거나, 취미를 개발하거나, 사회적 활동에 참여하는 것 등 모든 작은 노력은 삶을 풍요롭게 하고 자기 발전에 기여합니다. 공자는 **"땅을 평평하게 하기 위해 한 삼태기의 흙을 갖다 부었어도 일이 진전되었다면 그것은 내가 나아간 것이다"**라고 했습니다. 이는 작은 노력이 모여 큰 변화를 일으킬 수 있음을 의미합니다. 장년은 이러한 기회를 통해 삶에 새로운 의미와 방향을 제공합니다. 끊임없이 배우고 도전하는 자세는 자기 주도적인 삶을 살아가는 데 중요한 역할을 합니다. 새로운 목표를 설정하고 이를 향해 나아가는 과정에서 장년은 더욱 풍요롭고 만족스러운 삶을 누립니다.

3. 인내와 끈기

목표를 향해 나아가는 과정에서 겪는 어려움과 도전은 인내와 끈기를 필요로 합니다. 산을 쌓는 과정에서 마지막 한 삼태기의 흙이 부족하더라도 포기하지 않고, 필요한 만큼의 흙을 채워 넣는 인내와 노력이 중요합니다. 이는 장년이 직면할 수 있는 어떠한 도전에서도 유효한 원칙입니다. 장년은 자신의 경험을 통해 얻은 지혜와 인내심을 바탕으로 어려움을 극복하고 목표를 달성합니다. 이러한 끈기와 인내는 장년의 삶을 더욱 의미 있게 만들며, 자신뿐만 아니라 주변 사람들에게도 긍정적인 영향을 미칩니다. 끊임없는 노력과 인내를 통해 장년은 자신의 삶을 계속해서 발전시키고, 새로운 성취를 이룹니다.

결론적으로, 장년에게 **"나아갈지, 머무를 지는 내가 결정한다"**는 말은 삶의 주인공으로서 역할을 알려줍니다. 개인의 선택과 노력이 삶의 진행 방향을 결정하며, 이는 끊임없는 성장과 발전의 기회를 제공합니다. 인내와 끈기를 가지고 목표를 향해 나아갈 때, 장년은 자신의 삶에 더 큰 의미와 가치를 부여합니다. 결국, 우리의 삶은 우리가 만들어가는 것이며, 장년은 이를 실현하는 무한한 가능성을 가지고 있습니다. 이러한 자기 주도적인 자세는 장년이 인생의 후반부를 더욱 풍요롭고 만족스럽게 만드는 데 중요한 역할을 합니다.

장년을 위한 인문학 코칭

1. 목표 설정과 지속적인 노력을 하라

개인적인 목표를 설정하고, 그 목표를 향해 꾸준히 나아가는 것이 중요합니다. 마치 산을 쌓거나 평지를 만들기 위해 흙을 하나씩 쌓아 올리는 것처럼, 작은 노력이 모여 큰 성과를 이룹니다. 장년층은 인생의 경험을 바탕으로 실현 가능한 목표를 설정하고, 그 목표를 향해 한 걸음씩 나아가야 합니다.

2. 다양한 상황에 대처하는 능력을 갖춰라

삶의 다양한 상황에서 유연하게 대처하고 적응하는 능력은 매우 중요합니다. 상황이 바뀌거나 예상치 못한 장애물이 나타났을 때, 이를 극복하고 나아갈 수 있는 유연성을 갖추는 것이 중요합니다. 장년은 변화하는 상황에 적응하며, 필요한 경우 새로운 방향으로 나아갈 준비가 되어 있어야 합니다.

3. 자기 결정에 책임을 져라

삶의 진행 방향은 개인의 선택에 의해 결정됩니다. 장년은 자신의 결정에 대한 책임을 지고, 자신이 선택한 길에 대해 확신을 가질 필요가 있습니다. 이는 자기 결정권을 존중하고, 자신의 삶에 대한 책임을 인식하는 것을 의미합니다. 어떤 상황에서도 자신의 선택을 통해 삶을 긍정적으로 변화시킬 수 있는 힘이 있다는 것을 기억해야 합니다.

10. 분위기에 휩쓸리지 마라

"많은 사람들이 미워한다 해도 반드시 잘 살펴보아야 하며, 많은 사람들이 좋아한다 해도 반드시 잘 살펴보아야 한다."《논어, 위령공편》

1. 자신의 판단을 중시하기

장년에는 많은 변화와 도전에 직면하게 됩니다. 은퇴, 가족 구성원의 변화, 건강 문제 등 다양한 상황에서 복잡한 결정을 내려야 할 때가 많습니다. 이때, 사회적 분위기나 대중의 의견에 쉽게 휩쓸리기 쉽습니다. 그러나 공자는 **"많은 사람들이 미워한다 해도 반드시 잘 살펴보아야 하며, 많은 사람들이 좋아한다 해도 반드시 잘 살펴보아야 한다"**고 했습니다. 이는 다수의 의견이 반드시 옳은 것이 아니며, 자신의 판단과 가치관을 중시해야 함을 강조합니다. 장년은 오랜 경험과 지혜를 바탕으로, 자신만의 견해를 확립하고 유지하는 것이 중요합니다. 외부의 압력보다는 자신의 목소리에 귀 기울이며, 진정으로 중요한 것이 무엇인지 깊이 고민하는 과정이 필요합니다. 자신의 판단을 중시하는 것은 자신의 삶을 더욱 의미 있고 풍요롭게 만드는 데 필요합니다.

2. 사회적 압력에 흔들리지 않기

사회적 압력이나 유행을 따르기보다는, 자신의 가치관에 따라 행동하는 것이 중요합니다. 장년에는 경험에서 우러나오는 통찰력을 바탕으로, 어떤 상황에서도 균형 잡힌 판단을 내리는 능력이 필요합니다. 이는 자신뿐만 아니라 주변 사람들과의 관계에서도 긍정적인 영향을 미칩니다. 자신의 가치관에 따라 행동함으로써, 다른 이들에게도 자신의 판단을 믿고 따를 수 있는 용기를 줍니다. 재정적인 결정을 내릴 때 대중의 의견에 의존하기보다는 자신의 재정 상황과 목표를 면밀히 검토하고 판단하는 것이 중요합니다. 이를 통해 자신에게 가장 적합한 결정을 내립니다. 사회적 압력에 흔들리지 않는 태도는 자신의 삶을 더욱 자주적이고 독립적으로 만드는 데 중요한 역할을 합니다.

3. 내면의 목소리에 귀 기울이기

공자의 가르침은 장년에게 분명한 교훈을 줍니다. 사회적 분위기나 대중의 의견에 휩쓸리지 않고, 자신의 내면을 깊이 성찰하며 삶의 결정을 내리는 것이 얼마나 중요한지를 일깨워줍니다. 장년을 지혜롭게 살아가기 위해서는, 외부의 소음에 흔들리지 않고 자신의 가치관과 신념을 견지하는 태도가 필수입니다. 이를 통해,

우리는 더욱 충실하고 의미 있는 삶을 이끌어갑니다. 자신의 경험과 지혜를 바탕으로 한 결정은, 그 어떤 사회적 기준보다 가치 있고, 개인의 삶을 풍요롭게 만듭니다. 장년은 삶의 여러 국면을 경험했으며, 그로 인해 풍부한 지혜를 갖추고 있습니다. 이 시기에는 자신이 누구인지, 무엇을 진정으로 가치 있게 여기는지를 이해하는 데 중점을 둬야 합니다. 사회적 분위기에 휩쓸리지 않고 자신만의 길을 걷는 것은 쉽지 않은 일이지만, 이를 통해 얻을 수 있는 자유와 자기 실현의 가치는 매우 큽니다.

결론적으로, 장년은 자신의 판단을 중시하고, 사회적 압력에 흔들리지 않으며, 내면의 목소리에 귀 기울이는 것이 중요합니다. 이는 단순히 개인적인 성장과 만족을 넘어, 주변 사람들에게도 긍정적인 영향을 미치고, 사회 전체의 조화로운 발전에 기여합니다. 공자의 가르침을 마음에 새기며, 장년은 더욱 지혜롭고 의미 있는 삶을 살아갑니다. 자신의 삶을 주도적으로 이끌어가며, 다음 세대와 사회에 긍정적인 영향을 미치는 역할을 지속적으로 수행합니다.

장년을 위한 인문학 코칭

1. 자신의 가치관을 확립하라

장년에는 다양한 삶의 경험을 통해 형성된 개인의 가치관이 중요합니다. 사회적 분위기나 대중의 의견이 아닌, 자신이 진정으로 중요하다고 믿는 원칙에 따라 결정을 내리고 행동해야 합니다. 이는 개인의 삶을 보다 의미 있고 충실하게 만들 뿐만 아니라, 자신감과 내면의 평화를 가져다줍니다.

2. 내면의 목소리에 귀 기울여라

장년은 자신의 내면과 진정한 욕구에 귀를 기울일 수 있는 지혜와 능력이 있습니다. 일상에서 잠시 멈추고 자신의 생각과 감정을 성찰하는 시간을 갖는 것이 중요합니다. 이러한 자기 성찰은 자신이 어떤 사람인지, 무엇을 가치 있게 여기는지를 명확히 하며, 삶의 중요한 결정을 내릴 때 올바른 방향을 제시해줍니다.

3. 자신의 경험과 지혜를 공유하라

장년은 개인의 삶뿐만 아니라 주변 사람들과 사회에 긍정적인 영향을 미칠 수 있는 기회입니다. 자신의 경험, 지식, 그리고 지혜를 나눔으로써, 젊은 세대에게 가치 있는 교훈을 전달하고, 사회적 분위기나 대중적인 의견에 흔들리지 않는 중요한 가치를 심어줄 수 있습니다. 이는 또한 자신의 삶에 더 큰 의미를 부여하며, 자신이 속한 공동체에 긍정적인 변화를 가져오는 데 기여합니다.

2부
논어(論語) 인문학

자기극복

11. 내 뜻을 바로 세워라

"대군의 장수를 빼앗을 수는 있어도, 한 사람의 뜻은 빼앗울 수는 없다."《논어, 자한편》

1. 자신의 뜻을 바로 세우기

장년은 인생의 긴 여정에서 얻은 경험과 지혜를 바탕으로 자신의 삶을 깊이 성찰하고, 자신의 정체성을 더욱 확고히 다져나가는 시기입니다. 공자는 **"대군의 장수를 빼앗을 수는 있어도, 한 사람의 뜻은 빼앗을 수는 없다"**고 했습니다. 이는 외부 세계의 어떠한 힘도 개인의 내면적인 의지와 신념을 꺾을 수 없다는 강력한 메시지를 담고 있습니다.

장년은 자신의 내면을 탐색하고, 진정으로 중요하게 여기는 가치와 신념을 명확히 해야 합니다. 이는 자신의 결정과 행동이 외부의 영향에 휘둘리지 않고, 자신의 뜻에 따라 이루어지도록 하는 기반이 됩니다. 자신의 뜻을 바로 세우는 것은 인생의 여러 도전과 역경을 이겨내는 데 있어 필수입니다. 이를 통해 장년은 보다 주도적이고 충만한 삶을 살아갑니다.

2. 의지와 신념의 힘

한 사람의 뜻은 그 어떤 외부적인 힘에도 굴복하지 않는 강력한 힘을 가지고 있습니다. 자신의 뜻을 확고히 세우는 것은 삶의 여러 도전과 역경에 맞서 싸우고, 자신이 원하는 방향으로 삶을 이끌어가는 데 있어 필수입니다. 장년에는 이러한 의지를 바탕으로 자신의 삶을 주도적으로 이끌어가는 능력이 더욱 중요해집니다. 건강 문제나 경제적 어려움에 직면했을 때, 자신의 뜻을 굳게 지키고 이를 극복하려는 노력은 큰 힘을 발휘합니다. 이러한 과정에서 자신의 신념과 가치관이 삶의 나침반 역할을 하며, 어떠한 상황에서도 흔들리지 않는 방향성을 제시해 줍니다. 이는 장년이 자기 자신을 믿고, 삶의 모든 영역에서 자신감을 가지고 행동할수 있게 합니다. 자신의 의지와 신념은 장년이 더 나은 삶을 살아가는 데 있어 가장 중요한 자산입니다.

3. 긍정적인 영향력 행사

장년은 자신의 뜻을 바로 세우고, 이를 주변 사람들과 공유함으로써 긍정적인 영향력을 행사할 수 있는 위치에 있습니다. 자신의 가치관과 신념을 명확히 함으로써, 가족, 친구, 그리고 사회에 긍정적인 변화를 이끌어냅니다. 이는 장년의 삶에 더 큰 의미와 만족감을 부여합니다. 장년이 자신의 신념을 바탕으로 행동할 때, 이는 다른 사람들에게도 귀감이 됩니다. 특히 젊은 세대에게는 자신의 길을 찾아가는 데 있어 중요한 이정표를 제시합니다. 자신의 뜻을 확고히 하고 이를 실천하는 삶은 주변 사람들에게도 큰 영감을 줍니다. 장년은 자신의 경험과 지혜를 통해 주변 사람들에게 강력한 영향력을 행사할 수 있습니다. 이를 통해 사회적 연대감을 강화하고, 공동체의 발전에 기여합니다.

결론적으로, 장년에게 자신의 뜻을 바로 세우는 것은 매우 중요합니다. 공자의 가르침처럼, 외부의 어떠한 힘도 한 사람의 진정한 의지와 신념을 무너뜨릴 수 없습니다. 자신의 내면을 깊이 탐색하고, 자신의 가치와 신념에 따라 결정을 내리며, 이를 통해 자신뿐만 아니라 주변 사람들과 사회에 긍정적인 영향을 미치는 삶을 살아가는 것이야말로 장년의 진정한 지혜입니다. 이러한 과정을 통해 장년은 단순히 나이를 먹는 것 이상의 의미를 갖게 되며, 자신의 삶을 풍요롭고 의미 있게 만드는 귀중한 기회가 됩니다.

장년을 위한 인문학 코칭

1. 자신의 신념과 가치관에 충실하라

장년은 자신이 평생 동안 믿고 따라온 신념과 가치관을 바탕으로 삶의 결정을 내리는 것이 중요합니다. 외부의 압력이나 유행, 타인의 기대에 휩쓸리지 않고, 자신의 내면적인 믿음을 따르는 삶을 살아야 합니다. 이는 개인의 평화와 만족을 가져다주며, 삶의 방향성을 확고히 합니다. 또한, 자신의 신념을 지키는 것은 자기 존중과 자존감을 높여줍니다.

2. 자기결정권을 행사하라

삶의 여러 분야에서 자신의 의지를 분명히 하고, 자기결정권을 적극적으로 행사하는 것이 중요합니다. 가족, 건강, 재정 등의 중대한 사항에 있어서 자신의 뜻에 따라 결정을 내리고, 그에 따른 책임도 기꺼이 수용해야 합니다. 이는 삶의 주체로서의 자존감을 높이고, 자신감 있게 삶을 이끌어가는 데 도움이 됩니다. 자신의 의지를 분명히 하는 것은 안정적이고 만족스러운 삶을 위한 필수 요소입니다.

3. 후세에 긍정적인 영향력을 미쳐라

자신의 지혜와 경험을 바탕으로 주변 사람들, 특히 젊은 세대에게 긍정적인 영향력을 미치는 삶을 살아야 합니다. 자신의 뜻을 바로 세워 살아가는 모습을 통해, 자신감과 독립성의 중요성을 후세에 전달함으로써 사회 전반에 긍정적인 변화를 이끌어냅니다. 이는 세대 간의 연대감을 강화하고, 지속 가능한 사회 발전에 기여합니다. 다음 세대에게 모범이 되는 삶은 장년의 중요한 역할입니다.

12. 위기에 흔들리지 않는 사람

"날씨가 추워진 뒤에야 소나무와 잣나무가 뒤늦게 시든다는 것을 알게 된다."《논어, 자한편》

1. 위기 속에서의 내면의 강인함

장년은 인생의 다양한 위기와 도전에 직면하게 됩니다. 건강의 변화, 가족의 문제, 경제적 불안정, 사회적 역할의 변화 등 여러 형태의 위기가 찾아옵니다. 이러한 위기 속에서 흔들리지 않기 위해서는 내면의 강인함이 필수입니다. 인생의 경험을 통해 쌓아온 지혜와 인내심은 위기를 극복하는 데 큰 도움이 됩니다. 마치 소나무와 잣나무가 추운 겨울에도 시들지 않는 것처럼, 우리의 내면도 단단하고 강인해야 합니다. 내면의 강인함은 쉽게 얻어지는 것이 아니며, 오랜 시간 동안의 경험과 자기 성찰을 통해 길러집니다. 이는 장년이 젊은 세대에게 전수해야 할 중요한 덕목 중 하나입니다. 인생의 후반부에 접어든 우리는 자신을 더욱 강하게 만들어야 하며, 이를 통해 어떠한 위기 상황에서도 흔들리지 않는 모습을 보여야 합니다.

2. 평정심의 유지

위기 상황에서 평정심을 유지하는 것은 매우 중요합니다. 감정의 기복이 심해지면 올바른 판단을 내리기 어렵고, 상황을 더 악화시킵니다. 평정심을 유지하기 위해서는 마음의 안정을 찾고, 냉철하게 상황을 분석하는 능력이 필요합니다. 이는 독서, 자연과의 교감 등을 통해 마음을 다스리는 방법을 배우는 것이 도움이 됩니다. 장년은 인생의 다양한 경험을 통해 이러한 방법들을 이미 익히고 있을 가능성이 큽니다. 위기 속에서도 평정심을 유지하는 것은 우리를 흔들리지 않게 하며, 문제를 해결하는 데 집중할 수 있게 합니다. 소나무와 잣나무가 추운 겨울에도 꿋꿋하게 서 있는 것처럼, 우리는 평정심을 통해 삶의 역경을 이겨냅니다. 평정심은 단순한 감정 조절을 넘어, 우리의 삶의 방향을 잃지 않게 하는 중요한 요소입니다. 이는 우리가 직면하는 모든 도전에 있어 중심을 잡고 나아갈 수 있게 합니다.

3. 주변 사람들과의 연대

위기 상황에서는 혼자서 모든 것을 감당하기 어렵습니다. 주변 사람들과 연대와 지지는 큰 힘이 됩니다. 가족, 친구, 이웃 등 가까운 사람들과의 관계를 통해 우리는 서로에게 힘이 되고, 위기를 함께 극복합니다. 장년층은 그동안의 인생에서 쌓아온 인간관계를 바탕으로 이러한 연대를 형성합니다. 소나무와 잣나무가 서로 가까이에서 자라며 추운 겨울을 견디는 것처럼, 우리는 주변 사람들과 함께 어려움을 나눌 때 더 큰 힘을 발휘합니다. 연대는 우리 삶을 더욱 풍요롭게 하며, 위기 상황에서도 흔들리지 않는 강인한 사람으로 만들어 줍니다. 연대를 통해 우리는 혼자가 아닌 함께 하는 힘을 경험하게 되며, 이는 우리에게 큰 위안을 줍니다. 또한, 연대는 우리가 더욱 큰 사회적 책임감을 느끼게 하며, 공동체의 일원으로서 역할을 다할 수 있게 합니다.

결론적으로, 장년층이 위기 상황에서 흔들리지 않는 사람이 되기 위해서는 내면의 강인함, 평정심의 유지, 그리고 주변 사람들과의 연대가 필요합니다. 인생의 경험을 통해 쌓아온 지혜와 인내심을 바탕으로, 우리는 위기 속에서도 꿋꿋하게 서 있습니다. 소나무와 잣나무가 추운 겨울에도 시들지 않는 것처럼, 우리의 내면과 삶도 위기를 이겨내고 더욱 강해질 수 있습니다. 이는 장년이 젊은 세대에게 전수해야 할 중요한 가치이며, 세대 간의 이해와 화합을 도모하는 데 큰 기여를 합니다.

장년을 위한 인문학 코칭

1. 내면의 강인함을 키워라

장년은 인생의 긴 여정에서 많은 위기와 도전에 직면하게 됩니다. 건강, 가족, 경제적 문제 등에서 흔들리지 않기 위해 내면의 강인함이 필요합니다. 소나무와 잣나무가 추운 겨울에도 시들지 않는 것처럼, 오랜 시간의 경험과 자기 성찰을 통해 내면을 단단하게 만들어야 합니다. 내면의 강인함은 쉽게 얻어지는 것이 아니며, 지속적인 노력과 자기 성찰을 통해 길러집니다.

2. 평정심을 유지하라

위기 상황에서 평정심을 유지하는 것은 매우 중요합니다. 감정의 기복이 심해지면 올바른 판단을 내리기 어렵고, 상황이 악화됩니다. 명상, 독서, 자연과의 교감을 통해 마음을 다스리는 방법을 배우고, 냉철하게 상황을 분석하는 능력을 키워야 합니다. 평정심은 문제 해결에 집중할 수 있게 하고, 삶의 방향을 잃지 않게 도와줍니다. 이를 통해 장년은 위기에서도 흔들리지 않고, 안정된 마음으로 상황을 대처합니다.

3. 주변 사람들과 연대하라

혼자 모든 것을 감당하기보다는 주변 사람들과 연대하고 지지를 받는 것이 중요합니다. 가족, 친구, 이웃과의 관계를 통해 서로에게 힘이 되고, 위기를 함께 극복합니다. 연대는 삶을 풍요롭게 하고, 위기 상황에서도 흔들리지 않게 하며, 큰 위안을 줍니다. 이는 세대 간의 이해와 화합을 도모하는 데 큰 기여를 합니다.

13. 여전히 자신을 극복해야 한다

"자기를 이겨내고 예로 돌아가는 것이 인(仁)이다. 하루만이라도 자기를 이겨내고 예(禮)로 돌아가면, 천하가 인에 귀의할 것이다. 인을 실천하는 것이야 자신에게 달린 것이지 다른 사람에게 달린 것이겠느냐?"《논어, 안연편》

1. 자기 극복의 필요성

장년에는 자기 극복의 필요성은 더욱 절실해집니다. 인생의 많은 부분을 이미 경험했기 때문에, 자신이 어떤 사람인지, 무엇을 이루었는지를 돌아보게 됩니다. 하지만 이 시기에도 여전히 자신을 극복해야 할 필요성이 있습니다. 이는 단순히 새로운 목표를 설정하는 것을 넘어, 과거의 습관과 태도를 반성하고 더 나은 방향으로 나아가려는 노력을 의미합니다. 장년은 그동안 쌓아온 경험과 지혜를 바탕으로 자신의 한계를 인식하고, 이를 극복하려는 의지를 다져야 합니다. 자기 극복은 나이가 들수록 더욱 어려울 수 있지만, 이를 통해 더 나은 자신을 만들어가는 과정은 인생의 의미를 더욱 깊게 만듭니다. 인생의 후반부에서도 자기 성찰과 변화를 통해 성장하는 것은 중요합니다. 이는 우리를 더욱 강인하고 지혜로운 존재로 만들어 줍니다.

2. 예(禮)의 중요성

예는 단순한 예절이나 형식적인 규범을 넘어, 인간관계를 원활하게 하고 사회적 조화를 이루는 데 중요한 역할을 합니다. 장년은 예를 통해 타인과의 관계를 더욱 공고히 합니다. 예(禮)는 상대방에 대한 존중과 배려를 바탕으로 하며, 이는 가족, 친구, 이웃 등 다양한 관계에서 중요한 덕목입니다. 또한, 예를 지키는 것은 자기 극복의 한 형태로 봅니다. 자신의 감정이나 욕구를 억제하고, 사회적 규범을 따르는 것은 쉽지 않지만, 이를 통해 우리는 더 큰 인격적 성장을 이룹니다. 장년은 예를 통해 자신을 다스리고, 타인과의 조화를 이루며, 더 나은 사회를 만들어 나아가게 합니다. 예는 인간관계를 원활하게 하고, 사회적 평화를 유지하는 데 중요한 역할을 합니다. 따라서 장년은 예를 통해 자신의 내면을 정화하고, 사회적 조화를 이루는 데 기여해야 합니다.

3. 인(仁)의 실천

인은 인간에 대한 깊은 사랑과 배려를 의미합니다. 장년은 인을 실천함으로써 더 큰 삶의 의미를 찾습니다. 이는 단순히 가족이나 친구에게만 국한되지 않으며, 더 넓은 사회와 공동체를 포함합니다. 인을 실천하는 것은 자신을 극복하고, 타인을 이해하고, 공감하는 능력을 요구합니다. 장년은 인생의 경험을 통해 이러한 능력을 갖추고 있으며, 이를 바탕으로 더욱 깊이 있는 인간관계를 형성합니다. 또한, 인을 실천하는 것은 자신에게 달린 것이지, 다른 사람에게 의존할 필요가 없습니다. 이는 자기 주도적인 삶을 살아가는 데 중요한 원칙이며, 이를 통해 우리는 더 큰 성취와 만족을 얻습니다. 인은 우리의 삶을 풍요롭게 하고, 다른 사람들과의 관계를 더욱 깊고 의미 있게 만들어 줍니다.

결론적으로, 장년이 여전히 자신을 극복해야 한다는 것은 단순히 새로운 목표를 설정하는 것뿐만 아니라, 과거의 습관과 태도를 반성하고, 더 나은 방향으로 나아가려는 노력을 의미합니다. 예와 인을 통해 자신을 다스리고, 타인과의 조화를 이루며, 더 나은 사회를 만들어 나가는 데 기여합니다. 자기 극복은 나이가 들수록 더욱 어렵지만, 이를 통해 더 나은 자신을 만들어가는 과정은 인생의 의미를 더욱 깊게 만듭니다. 장년은 자신의 경험과 지혜를 바탕으로, 인생의 후반부에서도 자기 성찰과 변화를 통해 계속해서 성장해야 합니다.

장년을 위한 인문학 코칭

1. 과거의 경험에서 배우기

장년에는 인생의 다양한 경험을 통해 얻은 지혜로 자신을 돌아보고 배움을 얻는 것이 중요합니다. 과거의 실패나 후회보다는 이를 극복하고 앞으로 나아가는 힘을 기르는 것이 핵심입니다. 자기를 이겨내는 것은 자신의 약점과 한계를 인정하고 이를 극복하기 위해 노력하며, 작은 목표를 설정하고 달성하려는 노력은 자기를 이겨내는 구체적인 실천입니다.

2.. 자기 통제와 의지력 강화

장년에는 신체적, 정신적 도전이 함께 찾아옵니다. 건강 관리, 재정 관리, 대인 관계 등에서 자기 통제와 의지력을 강화하는 것이 중요합니다. 이는 단순히 욕구를 억제하는 것이 아니라, 더 나은 삶을 위해 필요한 방향으로 나아가는 힘을 기르는 것입니다. 《논어》의 교훈처럼, 예(禮)는 사회적 규범과 개인의 도덕적 기준을 포함합니다. 자기를 이겨내고 예로 돌아가는 것은 성숙한 인간으로 성장합니다.

3. 후세에 긍정적인 영향력 미치기

장년은 자신의 지혜와 경험을 바탕으로 주변 사람들, 특히 젊은 세대에게 긍정적인 영향력을 미쳐야 합니다. 자신의 뜻을 바로 세워 살아가는 모습을 통해, 자신감과 독립성의 중요성을 후세에 전달함으로써 사회 전반에 긍정적인 변화를 이끌어냅니다. 자기를 이겨내고 예로 돌아가는 것은 단순히 개인적인 성취를 넘어, 주변 사람들과 사회에 긍정적인 영향을 미치는 중요한 역할을 합니다.

14. 공손, 경건, 진심은 항상 유지하라

"평소에 지낼 때는 공손하고, 일을 할 때는 경건하며, 남과 어울릴 때는 진심으로 대해야 하는 것이니, 비록 오랑캐의 땅에 가더라도 이를 버려서는 안 된다." 《논어, 자로편》

1. 공손함의 중요성

장년에게 공손함은 더욱 중요한 덕목이 됩니다. 인생을 살아오면서 쌓아온 경험과 지혜는 타인과의 소통에서 큰 자산이 되지만, 그 지혜를 전달하는 방식이 공손하지 않으면 반감을 살 수 있습니다. 공손함은 타인을 존중하고 배려하는 마음에서 비롯되며, 이는 사회적 관계를 원활하게 유지하는 데 필수입니다. 공손한 태도는 타인에게 신뢰를 심어주고, 그로 인해 더욱 깊이 있는 인간관계를 형성할 수 있게 합니다. 장년의 공손한 언행은 젊은 세대에게 귀감이 되며, 세대 간의 이해와 화합을 도모합니다. 자녀나 손주에게 삶의 교훈을 전할 때 공손한 태도로 접근하면 그 메시지가 더 잘 전달되고, 가족 간의 유대가 강화됩니다. 또한, 사회생활에서도 공손한 태도는 직장 동료나 이웃과의 관계를 긍정적으로 유지하는 데 큰 도움이 됩니다.

2. 경건함의 실천

경건함은 자신이 하는 일에 대한 진지한 태도와 성실함을 의미합니다. 장년은 그동안의 삶을 통해 쌓아온 지혜와 경험을 바탕으로, 자신이 맡은 일에 대해 더욱 경건한 자세를 취해야 합니다. 경건함은 단순히 종교적 의미를 넘어서, 자신의 삶과 일에 대한 책임감을 나타내는 중요한 가치입니다. 이는 일상 생활에서도 마찬가지입니다. 가정에서의 역할, 사회적 책임, 자아 성찰 모두 경건한 태도로 임할 때 더 큰 의미와 가치를 지닙니다. 자녀를 돌보거나 사회봉사 활동을 할 때, 경건한 태도로 임하면 그 과정에서 얻는 만족감이 배가됩니다. 경건한 태도는 삶의 모든 순간을 소중히 여기게 하며, 이를 통해 인생의 후반부를 더욱 풍요롭게 만듭니다. 이러한 태도는 또한 다음 세대에게 모범이 되어, 그들도 자신의 일에 경건하게 임하도록 이끕니다.

3. 진심의 소통

진심으로 대하는 태도는 나이와 관계없이 누구에게나 중요한 덕목이지만, 장년에게는 특히나 더 큰 의미를 갖습니다. 진심은 사람과 사람 사이의 신뢰를 구축하는 기본적인 요소입니다. 장년은 많은 경험을 통해 다양한 상황을 겪어왔기 때문에, 그 진심의 깊이와 진정성이 남다릅니다. 진심 어린 소통은 단순한 대화를 넘어, 상대방의 마음을 이해하고 공감하는 과정을 포함합니다. 이는 가족 간의 관계, 친구와의 우정, 후배들과의 멘토링 모두에 있어서 중요한 역할을 합니다. 손주와 대화에서 진심으로 귀 기울이고 공감하는 태도를 보이면, 손주는 자신의 생각과 감정을 자유롭게 표현할 수 있는 안전한 공간을 느끼게 됩니다. 진심으로 대할 때, 우리는 상대방의 마음을 움직일 수 있으며, 이는 인생을 더욱 풍요롭게 하는 소중한 자산이 됩니다.

결론적으로, 장년이 공손함, 경건함, 그리고 진심을 유지하는 것은 개인의 인생을 더욱 의미 있게 만드는 동시에, 타인과의 관계를 더욱 깊이 있게 만듭니다. 이러한 덕목들은 세대 간의 이해와 화합을 도모하고, 삶의 질을 높이는 데 큰 기여를 합니다. 공손하고 경건하며 진심을 다하는 삶은 장년의 지혜와 경험을 빛나게 하며, 이를 통해 더욱 풍요롭고 의미 있는 인생을 살아갑니다. 공손함은 타인을 존중하고 배려하는 마음에서 비롯되며, 경건함은 자신의 일과 삶에 대한 진지한 태도를 나타냅니다. 진심은 사람과의 관계를 깊고 진정성 있게 만드는 힘이 있습니다. 장년은 이 세 가지 덕목을 통해 자신과 타인의 삶을 더욱 풍요롭고 의미 있게 만들어갑니다.

1. 공손함을 유지하라

장년은 인생을 살아오면서 쌓아온 지혜와 경험을 바탕으로 타인과의 소통에서 공손한 태도를 유지해야 합니다. 공손함은 타인을 존중하고 배려하는 마음에서 비롯되며, 이는 사회적 관계를 원활하게 유지하는 데 필수입니다. 공손한 태도는 타인에게 신뢰를 심어주고, 그로 인해 더욱 깊이 있는 인간관계를 형성할 수 있게 합니다.

2. 경건한 자세를 취하라

경건함은 자신이 하는 일에 대한 진지한 태도와 성실함을 의미합니다. 장년은 그동안의 삶을 통해 쌓아온 지혜와 경험을 바탕으로, 자신이 맡은 일에 대해 더욱 경건한 자세를 취해야 합니다. 이는 단순히 일에만 국한되지 않으며, 가정에서 역할, 사회적 책임, 자아 성찰 등 모든 영역에서 경건한 태도로 임할 때 더 큰 의미와 가치를 지닙니다.

3. 진심으로 대하라

진심은 사람과 사람 사이의 신뢰를 구축하는 기본적인 요소입니다. 장년은 많은 경험을 통해 다양한 상황을 겪어왔기 때문에, 그 진심의 깊이와 진정성이 남다릅니다. 진심 어린 소통은 단순한 대화를 넘어, 상대방의 마음을 이해하고 공감하는 과정을 포함합니다. 이는 가족 간의 관계, 친구와의 우정, 후배들과의 멘토링 모두에서 중요한 역할을 합니다. 진심으로 대할 때, 우리는 상대방의 마음을 움직입니다.

15. 화합하는 사람이 되어라

"군자(君子)는 사람들과 화합하지만 부화뇌동하지는 않고, 소인 (小人)은 부화뇌동하지만 사람들과 화합하지는 않는다."《논어, 자로편》

1. 화합의 본질

장년에게 화합의 본질을 깊이 이해하는 것은 매우 중요합니다. 화합은 단순히 갈등을 피하는 것이 아니라, 서로 다른 의견과 관점을 조화롭게 아우르는 능력을 의미합니다. 인생의 많은 경험을 통해 장년은 다양한 사람들과 관계에서 화합의 중요성을 몸소 체험하게 됩니다. 화합은 가족, 친구, 직장 동료와의 관계에서 신뢰와 존중을 바탕으로 한 건강한 관계를 유지하는 데 필수입니다. 화합하는 사람은 타인의 의견을 경청하고, 자신의 생각을 명확하게 전달하며, 이를 통해 상호 이해와 존중을 이끌어냅니다. 이는 장년층이 젊은 세대에게 전수해야 할 중요한 덕목 중 하나입니다. 화합의 본질을 이해하고 실천하는 것은 인간관계를 깊고 의미 있게 만드는 중요한 요소입니다.

2. 부화뇌동하지 않는 자세

화합을 이루기 위해서는 부화뇌동하지 않는 자세가 필요합니다. 부화뇌동이란 자신의 생각이나 신념 없이 타인의 의견에 맹목적으로 따르는 것을 의미합니다. 장년은 오랜 경험을 통해 자신의 가치관과 신념을 확립해왔기 때문에, 타인의 의견을 무작정 따르기보다는 비판적 사고를 통해 수용할 수 있습니다. 부화뇌동하지 않는 자세는 자신의 주관을 유지하면서도 타인과 조화를 이루는 데 중요한 역할을 합니다. 이는 곧 타인의 의견을 존중하되, 자신의 입장을 명확히 하여 상호 간의 진정한 화합을 이루는 것입니다. 이러한 자세는 장년층이 사회적 리더로서 역할을 수행하는 데 큰 도움이 되며, 후배들에게 올바른 길을 제시합니다. 자신의 신념을 유지하면서도 타인과 협력하는 능력은 진정한 화합의 핵심입니다.

3. 소통과 공감의 실천

화합을 위해서는 효과적인 소통과 공감이 필수입니다. 장년은 인생의 경험을 통해 타인의 감정을 이해하고 공감하는 능력을 길러왔습니다. 소통은 단순한 말의 교환을 넘어서, 서로의 마음을 이해하고 깊이 있는 대화를 나누는 것을 포함합니다. 공감은 상대방의 입장에서 생각하고 그들의 감정을 느끼는 능력입니다. 장년층은 이러한 소통과 공감을 통해 더욱 깊이 있는 인간관계를 형성합니다. 이는 가정에서의 역할, 사회적 관계, 그리고 후배들과의 멘토링에서도 중요한 역할을 합니다. 진정한 소통과 공감은 서로의 신뢰를 쌓고, 더 나은 이해와 협력을 이끌어내며, 이를 통해 우리는 진정한 화합을 이룹니다. 특히 가족 간의 소통과 공감은 세대 간의 갈등을 줄이고, 더 나은 관계를 유지하는 데 큰 도움이 됩니다.

결론적으로, 화합하는 사람이 되는 것은 개인의 인생을 더욱 의미 있게 만들고, 타인과의 관계를 더욱 풍요롭게 만드는 중요한 덕목입니다. 화합은 단순히 갈등을 피하는 것이 아니라, 서로 다른 의견과 관점을 존중하고 조화롭게 아우르는 능력을 의미합니다. 부화뇌동하지 않고, 소통과 공감을 실천하며 화합하는 삶을 통해 우리는 더욱 평화롭고 안정된 인생을 살아갑니다. 이는 장년이 젊은 세대에게 전수해야 할 중요한 가치이며, 세대 간의 이해와 화합을 도모하는 데 큰 기여를 합니다. 화합을 통해 우리는 더 나은 사회를 만들고, 세대 간의 연결을 강화할 수 있습니다. 장년층의 지혜와 경험은 이러한 과정을 통해 더욱 빛을 발하게 됩니다.

장년을 위한 인문학 코칭

1. 자기 주관을 유지하라

장년은 오랜 세월 동안 쌓아온 경험과 지혜를 바탕으로 자신의 주관을 확립해왔습니다. 자신의 신념과 가치를 지키면서도 타인의 의견을 존중하는 자세가 필요합니다. 이는 단순히 자신의 생각을 고집하는 것이 아니라, 비판적 사고를 통해 타인의 의견을 수용하고 조화롭게 융합하는 것을 의미합니다.

2. 공감과 소통을 중시하라

장년은 인생의 다양한 경험을 통해 타인의 감정을 이해하고 공감하는 능력을 길러왔습니다. 이러한 공감 능력은 사람들과의 관계를 원만하게 유지하는 데 중요한 역할을 합니다. 또한, 효과적인 소통은 서로의 마음을 열고 신뢰를 쌓는 데 필수입니다. 타인의 이야기를 경청하고 자신의 생각을 명확하게 전달하는 소통의 기술을 통해, 우리는 진정한 화합을 이룹니다.

3. 긍정적인 영향력을 발휘하라

장년은 사회와 가족 내에서 중요한 역할을 담당하며, 그들의 행동과 태도는 주변 사람들에게 큰 영향을 미칩니다. 긍정적인 태도와 행동을 통해 다른 사람들에게 본보기가 되고, 화합을 이끄는 리더로서 역할을 수행합니다. 이는 타인과의 갈등을 최소화하고, 협력과 조화를 이루는 데 중요한 요소입니다. 긍정적인 영향력을 발휘함으로써, 우리는 더 나은 사회와 공동체를 만들어 나갑니다.

16. 말은 때에 맞게 하라

"공자께서 말씀하셨다. "더불어 말을 해야 할 때 더불어 말을 하지 않으면 사람을 잃고, 더불어 말하지 않아야 할 때 더불어 말하면 말을 잃는다. 지혜로운 사람은 사람을 잃지도 않고 말을 잃지도 않는다.""《논어, 위령공편》

1. 말을 해야 할 때 말하라

공자는 더불어 말을 해야 할 때 말을 하지 않으면 사람을 잃는다고 했습니다. 이는 필요한 순간에 자신의 의견을 명확히 전달하지 않으면, 오해가 생기거나 신뢰를 잃을 수 있다는 뜻입니다. 가족, 친구, 동료와의 관계에서도 그렇고, 중요한 의사결정을 할 때에도 마찬가지입니다. 말을 해야 할 때는 용기를 내어 진솔하게 말함으로써 상대방과의 신뢰를 쌓고, 문제를 해결해 나가는 것이 중요합니다. 특히 장년은 자신이 쌓아온 지혜와 경험을 나누어 다른 사람들에게 긍정적인 영향을 미칩니다. 장년의 말은 단순한 조언을 넘어, 삶의 방향을 제시하고, 더 나은 선택을 할 수 있도록 돕는 중요한 역할을 합니다. 말을 통해 우리는 자신의 가치를 전달하고, 더 나은 관계를 형성합니다. 적절한 순간에 진심 어린 말을 전하는 것은 관계의 깊이를 더해줍니다.

2. 말을 하지 말아야 할 때 침묵하라

반대로, 말을 하지 말아야 할 때는 침묵이 금입니다. 공자는 더불어 말하지 않아야 할 때 더불어 말하면 말을 잃는다고 했습니다. 이는 불필요한 말이나 부적절한 말을 함으로써 오히려 문제를 키우거나 갈등을 일으킬 수 있다는 경고입니다. 장년은 상황을 판단하고 필요한 말을 선별하는 능력을 더욱 중요하게 여겨야 합니다. 불필요한 충고나 비판은 때로는 상대방에게 상처를 주며, 관계를 악화시킵니다. 침묵은 때로는 상대방의 감정을 존중하고, 그들의 생각을 이해하는 기회를 제공합니다. 우리는 침묵을 통해 더 깊은 이해와 공감을 이끌어냅니다. 침묵은 단순히 말을 하지 않는 것이 아니라, 상대방의 입장에서 생각하고 배려하는 마음에서 비롯됩니다. 이러한 침묵은 말보다 더 큰 위로와 지혜를 전달할 수 있습니다. 장년층은 침묵을 통해 상대방의 진정한 마음을 듣고, 관계를 개선하는 기회를 얻습니다.

3. 지혜롭게 말을 선택하라

지혜로운 사람은 사람을 잃지도 않고 말을 잃지도 않습니다. 이는 곧 상황에 맞게 적절한 말을 선택하는 능력을 의미합니다. 장년은 이러한 지혜를 바탕으로 말과 침묵의 균형을 잘 맞추는 것이 중요합니다. 지혜롭게 말한다는 것은 상대방의 입장을 이해하고, 상황에 맞게 적절한 어조와 내용을 선택하는 것입니다. 이는 단순히 경험에서 비롯되는 것이 아니라, 상대방에 대한 깊은 이해와 공감에서 비롯됩니다. 우리는 말을 통해 상대방과의 신뢰를 쌓고, 문제를 해결하며, 더 나은 관계를 형성합니다. 또한, 침묵을 통해 상대방의 마음을 이해하고 존중함으로써 더욱 깊은 관계를 이끌어냅니다. 지혜로운 사람은 말과 침묵을 적절히 조절함으로써 사람들과의 관계를 풍요롭게 합니다.

장년은 인생의 황금기입니다. 이 시기는 말을 해야 할 때와 하지 말아야 할 때를 잘 구분하고, 지혜롭게 말과 침묵을 선택해야 합니다. 이를 통해 우리는 더 깊고 의미 있는 인간관계를 형성하고, 자신의 삶을 더욱 풍요롭게 만들 수 있습니다. 공자의 가르침은 오늘날에도 우리에게 큰 울림을 주는 지혜입니다. 우리는 이를 통해 더욱 성숙한 인생을 살아갑니다. 장년은 말의 중요성을 깨닫고, 이를 통해 자신과 주변 사람들의 삶을 더욱 풍요롭게 만드는 데 큰 기여합니다.

1. 적절한 시기에 말을 하라

장년은 다양한 경험과 지혜를 쌓아왔습니다. 말을 해야 할 때 주저하지 않고 진솔하게 말함으로써 오해를 줄이고, 신뢰를 쌓을 수 있습니다. 가족, 친구, 동료와 관계에서 중요한 의사결정을 할 때 자신의 목소리를 내는 것은 필수입니다. 이를 통해 우리는 더 나은 관계를 형성하고, 문제를 해결해 나갑니다.

2. 침묵이 필요한 순간을 알아라

때로는 말을 하지 않는 것이 더 큰 지혜입니다. 불필요한 말이나 부적절한 말은 오히려 갈등을 일으키고, 문제를 악화시킵니다. 장년은 상황을 판단하고 침묵을 선택하는 능력이 중요합니다. 침묵은 상대방의 감정을 존중하고, 그들의 생각을 이해하는 기회를 제공합니다. 이는 단순히 말을 하지 않는 것이 아니라, 상대방을 배려하는 마음에서 비롯됩니다.

3. 지혜롭게 말을 선택하는 능력을 갖춰라

지혜로운 사람은 상황에 맞게 적절한 말을 선택하는 능력을 갖추고 있습니다. 이는 상대방의 입장을 이해하고, 상황에 맞는 어조와 내용을 선택합니다. 장년은 이러한 지혜를 바탕으로 말과 침묵의 균형을 잘 맞추는 것이 중요합니다. 말을 통해 신뢰를 쌓고, 침묵을 통해 깊은 이해를 이끌어내는 것이 바람직합니다. 이를 통해 우리는 더욱 풍요롭고 의미 있는 인간관계를 형성합니다.

17. 선한 영향력을 끼치는 사람을 옆에 두어라

"장인이 그의 일을 잘하려고 할 때, 반드시 먼저 자신의 연장을 잘 손질한다. 마찬가지로 어떤 나라에 살든지, 그 나라의 대부들 중 현명한 사람을 섬기고, 그 나라의 선비들 중 어진 사람과 벗해야 한다."《논어, 위령공편》

1. 자신의 연장을 손질하듯, 주변을 가꾸어라

장인이 그의 일을 잘하려고 할 때, 먼저 자신의 연장을 잘 손질하듯이, 장년은 자신의 삶을 더 잘 살아가기 위해 주변 환경을 정비해야 합니다. 이는 단순히 물리적인 환경을 청소하거나 정리하는 것에 그치지 않습니다. 우리의 정신적, 정서적 환경도 포함됩니다. 특히, 우리가 매일 접하는 사람들은 우리의 삶에 큰 영향을 미칩니다. 인생의 후반부를 의미 있게 보내기 위해서는 선한 영향력을 끼치는 사람들과 함께해야 합니다. 이들은 우리의 가치관을 지지하고, 긍정적인 방향으로 나아가도록 도와줍니다. 주변을 정비하고, 우리에게 긍정적인 영향을 주는 사람들을 가까이 두는 것은 우리의 정신적, 정서적 건강을 유지하는 데 큰 도움이 됩니다.

2. 현명한 사람을 섬기고, 어진 사람과 벗하라

어떤 나라에 살든지, 그 나라의 대부들 중 현명한 사람을 섬기고, 그 나라의 선비들 중 어진 사람과 벗하라는 가르침은 우리가 누구와 어울려야 하는지를 명확히 알려줍니다. 장년은 오랜 세월 동안 많은 사람을 만나왔고, 그 경험을 통해 사람을 보는 안목이 길러졌습니다. 이제는 그 안목을 바탕으로, 현명하고 어진 사람을 가까이 두어야 합니다. 현명한 사람은 우리에게 올바른 길을 제시하고, 어려운 상황에서 지혜로운 조언을 줍니다. 어진 사람은 따뜻한 마음으로 우리를 이해하고, 도덕적으로 올바른 행동을 하도록 격려합니다. 이러한 사람들과 함께할 때, 우리는 더 나은 선택을 할 수 있고, 더욱 의미 있는 삶을 살아갑니다. 이들은 우리의 삶을 더욱 풍요롭게 하고, 인생의 중요한 순간에 귀중한 조언과 지지를 제공합니다.

3. 선한 영향력의 확대

선한 영향력을 끼치는 사람들을 옆에 두는 것은 단순히 개인의 행복과 만족을 넘어서, 더 큰 사회적 영향을 미칩니다. 장년은 사회적 책임감을 가지고 있으며, 그들의 행동은 주변 사람들에게 큰 영향을 줍니다. 선한 영향력을 받으며 성장한 사람은 자연스럽게 그 영향력을 다른 사람들에게 전파하게 됩니다. 이는 긍정적인 사회적 변화를 이끌어냅니다. 현명하고 어진 사람들과의 교류를 통해 얻은 지혜와 도덕적 기준은 가족과 친구, 후배들에게 전달됩니다. 이는 세대 간의 이해와 화합을 도모하며, 사회 전체의 도덕적 수준을 높이는 데 기여합니다. 장년은 자신이 받은 선한 영향력을 사회에 환원함으로써, 더 나은 공동체를 만들어가는 데 중요한 역할을 합니다.

결론적으로, 장년이 선한 영향력을 끼치는 사람을 옆에 두는 것은 개인의 삶을 풍요롭게 하고, 더 나아가 사회적 조화를 이루는 데 필수입니다. 자신의 연장을 손질하듯 주변 환경을 정비하고, 현명하고 어진 사람과 함께하며, 그들의 선한 영향력을 확산시키는 삶을 살아야 합니다. 이는 장년이 젊은 세대에게 전수해야 할 중요한 가치이며, 세대 간의 이해와 화합을 도모하는 데 큰 기여를 합니다.

장년을 위한 인문학 코칭

1. 자신의 환경을 정비하라.

장년은 자신의 삶을 더 잘 살아가기 위해 주변 환경을 정비해야 합니다. 이는 물리적인 환경뿐만 아니라, 정신적, 정서적 환경을 포함합니다. 특히, 우리 주변의 사람들은 우리의 삶에 큰 영향을 미칩니다. 선한 영향력을 끼치는 사람들과 함께하며, 긍정적이고 건설적인 관계를 유지하는 것이 중요합니다. 이러한 사람들은 우리의 가치관을 지지하고, 우리의 삶을 긍정적인 방향으로 이끌어줍니다.

2. 현명하고 어진 사람과 교류하라

장년은 오랜 경험을 통해 사람을 보는 안목이 길러졌습니다. 이제는 그 안목을 바탕으로 현명하고 어진 사람들과 교류해야 합니다. 현명한 사람은 우리에게 올바른 길을 제시하고, 어려운 상황에서 지혜로운 조언을 줍니다. 어진 사람은 따뜻한 마음으로 우리를 이해하고, 도덕적으로 올바른 행동을 하도록 격려합니다. 이러한 사람들과의 교류는 우리의 삶을 더욱 의미 있게 만들어줍니다.

3. 선한 영향력을 확산시켜라

선한 영향력을 받는 것은 개인의 행복과 만족을 넘어서, 더 큰 사회적 영향을 미칩니다. 장년은 사회적 책임감을 가지고 있으며, 그들의 행동은 주변 사람들에게 큰 영향을 줍니다. 선한 영향력을 받으며 성장한 사람은 그 영향력을 다른 사람들에게 전파하게 됩니다. 이는 긍정적인 사회적 변화를 이끌어내며, 세대 간의 이해와 화합을 도모합니다.

18. 자신에게 엄중한 책임을 져라

"자신에 대해서는 스스로 엄중하게 책임을 추궁하고, 다른 사람에게는 가볍게 책임을 추궁하면, 원망을 멀리 할 수 있다."
《논어, 위령공편》

1. 자기 성찰의 중요성

장년에게 자기 성찰은 더욱 중요해집니다. 인생의 많은 부분을 경험하며 우리는 자신의 행동과 선택에 대해 깊이 생각하게 됩니다. 자기 성찰은 자신의 행동과 생각을 돌아보고, 그에 대한 책임을 지는 과정을 포함합니다. 스스로에게 엄중한 책임을 지는 것은 자신을 객관적으로 바라보고, 부족한 점을 인정하며 개선하려는 의지에서 비롯됩니다. 이는 단순히 과거의 실수를 반성하는 것을 넘어서, 현재와 미래의 행동에 대한 책임감을 갖는 것입니다. 장년층은 그동안 쌓아온 지혜와 경험을 바탕으로 자기 성찰을 통해 더욱 성숙한 인격을 형성합니다. 자기 성찰은 자신을 돌아보게 하며, 이를 통해 우리는 더욱 나은 사람이 됩니다. 이는 삶의 깊이를 더해주고, 자신을 이해하는 데 큰 도움이 됩니다.

2. 타인에 대한 배려와 관용

스스로 엄중한 책임을 지면서도, 타인에 대해서는 배려와 관용을 갖추는 것이 중요합니다. 다른 사람의 실수나 잘못에 대해 가볍게 책임을 묻는 것은 그들의 입장을 이해하고 공감하는 자세에서 시작됩니다. 장년은 인생의 다양한 경험을 통해 타인의 상황과 감정을 이해하는 능력을 길러왔습니다. 이러한 이해와 공감은 타인과의 관계를 더욱 원만하게 만들어 줍니다. 우리는 모두 인간이기에 실수할 수 있으며, 이를 인정하고 포용하는 태도가 필요합니다. 타인에게 관용을 베풀면, 우리는 자연스럽게 원망과 갈등을 멀리할 수 있습니다. 이는 더 나아가 사회적 조화와 화합을 이루는 데 큰 도움이 됩니다. 배려와 관용은 상대방에게 따뜻함을 전달하고, 서로를 존중하는 문화를 만들어갑니다.

3. 책임 있는 삶의 실천

자신에게 엄중한 책임을 지고 타인에게 관용을 베푸는 것은 단순한 이론이 아니라, 실천을 통해 이루어져야 합니다. 장년은 오랜 시간 동안 쌓아온 경험과 지혜를 바탕으로 책임 있는 삶을 살아가는 능력을 갖추고 있습니다. 이는 자신의 행동과 결정에 대해 책임을 지며, 타인의 실수를 용납하고 이해하는 태도를 갖습니다. 책임 있는 삶은 단순히 개인적인 성장을 넘어서, 가족, 친구, 사회에 긍정적인 영향을 미칩니다. 우리는 자신의 행동에 대해 엄중하게 책임을 지고, 타인에 대해서는 관용을 베풀 때, 진정한 존경과 신뢰를 받을 수 있습니다. 이는 장년이 젊은 세대에게 전수해야 할 중요한 가치입니다. 책임을 지는 것은 우리의 신뢰도를 높이고, 공동체의 일원으로서 더욱 강력한 연대감을 형성합니다.

결론적으로, 장년이 자신에게 엄중한 책임을 지고 타인에게 관용을 베푸는 것은 개인의 성장과 사회적 조화를 이루는 데 필수입니다. 자기 성찰을 통해 우리는 자신의 부족한 점을 인정하고 개선하며, 타인에 대한 배려와 관용을 통해 원망과 갈등을 줄입니다. 이러한 책임 있는 삶의 실천은 우리를 더욱 성숙한 사람으로 만들어주며, 더 나아가 가족과 사회에 긍정적인 영향을 미칩니다. 인생의 후반부를 더욱 의미 있게 보내기 위해, 우리는 자신에게 엄중한 책임을 지고 타인에게 관용을 베푸는 삶을 살아야 합니다. 이는 장년이 젊은 세대에게 전수해야 할 중요한 가치이며, 세대 간의 이해와 화합을 도모하는 데 큰 기여를 합니다. 자기 성찰과 배려, 관용을 통해 우리는 더 나은 세상을 만들어갈 수 있으며, 이를 통해 진정한 행복과 평화를 누립니다.

장년을 위한 인문학 코칭

1. 자기 성찰을 통한 성장

장년에 접어들면서 자기 성찰은 더욱 중요해집니다. 자신에게 엄중한 책임을 지는 것은 자신의 행동과 결정에 대해 깊이 생각하고, 잘못된 점을 인정하며 개선하는 과정을 의미합니다. 매일의 행동을 돌아보며, 스스로에게 엄격한 기준을 적용하고, 더 나은 자신이 되기 위해 노력해야 합니다.

2. 타인에 대한 관용과 이해

자신에게 엄중한 책임을 지는 것과 동시에, 타인에게는 관용을 베푸는 자세가 필요합니다. 타인의 실수나 잘못에 대해 가볍게 책임을 묻는 것은 그들의 입장을 이해하고, 공감하는 태도에서 시작됩니다. 장년은 인생의 다양한 경험을 통해 타인의 상황과 감정을 이해하는 능력을 길러왔습니다. 이러한 이해와 관용은 인간관계를 더욱 원만하게 만들어주며, 원망과 갈등을 줄이는 데 큰 도움이 됩니다.

3. 책임 있는 삶의 실천

장년은 오랜 경험을 통해 쌓아온 지혜와 지식을 바탕으로 책임 있는 삶을 실천할 수 있습니다. 이는 자신의 행동과 결정에 대해 스스로 책임을 지며, 타인의 실수를 용납하고 이해하는 태도를 갖는 것을 의미합니다. 책임 있는 삶을 실천함으로써 우리는 가족, 친구, 사회에 긍정적인 영향을 미칩니다. 자신의 행동에 대해 엄중하게 책임을 지고, 타인에게 관용을 베풀 때, 우리는 진정한 존경과 신뢰를 받습니다.

19. 잘못은 무조건 고쳐라

"잘못이 있어도 고치지 않는 것, 이것이 바로 잘못이다"《논어, 위령공편》

1. 잘못을 인정하고 고치는 용기

장년은 삶에서 많은 잘못을 저질렀을 수 있습니다. 중요한 것은 잘못을 인정하고 고칠 수 있는 용기를 갖는 것입니다. 잘못을 인정하는 것은 쉬운 일이 아닙니다. 자존심이 상하고, 자신이 실패한 것을 받아들이는 것은 고통스럽습니다. 그러나 잘못을 인정하는 것은 성장의 첫걸음입니다. 자신이 저지른 실수나 잘못을 솔직하게 마주하고, 그것을 개선하려는 의지를 갖는 것은 인격의 성숙을 의미합니다. 장년은 그동안 쌓아온 지혜와 경험을 바탕으로 자신의 잘못을 인식하고, 이를 고치려는 노력을 통해 더욱 성숙한 인격을 형성합니다. 잘못을 인정하는 용기는 자신에게 진실하고, 더 나은 자신으로 나아가는 중요한 첫걸음입니다.

2. 잘못을 고치는 과정에서의 배움

잘못을 고치는 과정은 단순히 실수를 수정하는 것에 그치지 않고, 중요한 배움의 기회를 제공합니다. 잘못을 고치는 과정에서 우리는 자신이 왜 그런 실수를 했는지, 어떻게 하면 같은 실수를 반복하지 않을 수 있는지에 대해 깊이 생각하게 됩니다. 이는 자기 성찰과 함께 더 나은 미래를 준비하는 과정입니다. 예를 들어, 과거에 재정적으로 잘못된 결정을 내렸다면, 그 경험을 통해 재정 관리의 중요성을 배우고, 더 나은 재정 계획을 세우는 법을 익히게 됩니다. 이와 같이, 잘못을 고치는 과정은 우리의 지식과 경험을 확장시키고, 더 나은 삶을 살아가는 데 필요한 지혜를 얻게 합니다. 장년은 이러한 과정을 통해 자신의 실수를 자산으로 바꾸고, 지속적으로 성장할 수 있습니다.

3. 타인과의 관계에서 잘못을 고치는 중요성

잘못을 고치는 것은 타인과의 관계에서도 매우 중요합니다. 가족, 친구, 동료 등과의 관계에서 우리는 종종 실수를 저지르거나 잘못된 행동을 합니다. 이러한 잘못을 인정하고 고치는 것은 관계를 회복하고 강화하는 데 필수입니다. 잘못을 고치지 않고 방치하면, 그것은 갈등과 오해를 불러일으키고, 결국 관계를 악화시킵니다. 반면, 자신의 잘못을 인정하고 진심으로 사과하며 그것을 고치기 위해 노력하면, 상대방의 신뢰를 회복합니다. 이는 건강하고 긍정적인 인간관계를 유지하는 데 중요한 요소입니다. 장년은 이러한 과정을 통해 자신과 타인 간의 관계를 더 깊고 의미 있게 만들어 갈 수 있습니다. 특히, 젊은 세대에게는 이러한 태도가 귀감이 되어, 그들도 잘못을 인정하고 고치는 법을 배우게 됩니다.

　결론적으로, 장년이 잘못을 고치는 것은 개인의 성장과 사회적 조화를 이루는 데 필수입니다. 잘못을 인정하고 고치는 용기는 인격의 성숙을 의미하며, 이를 통해 우리는 더욱 나은 사람이 될 수 있습니다. 또한, 잘못을 고치는 과정에서 우리는 중요한 배움을 얻고, 더 나은 미래를 준비합니다. 타인과의 관계에서도 잘못을 고치는 것은 신뢰를 회복하고 건강한 관계를 유지하는 데 필수입니다. 인생의 후반부를 더욱 의미 있게 보내기 위해, 우리는 잘못을 인정하고 고치는 노력을 게을리하지 말아야 합니다. 이는 장년이 젊은 세대에게 전수해야 할 중요한 가치이며, 세대 간의 이해와 화합을 도모하는 데 큰 기여를 합니다.

1. 잘못을 인정하는 용기를 가져라

장년은 많은 경험과 지혜를 쌓아왔지만, 여전히 잘못을 저지릅니다. 중요한 것은 이러한 잘못을 인정하는 용기를 갖는 것입니다. 잘못을 인정하는 것은 자존심을 내려놓고 자신의 한계를 받아들이는 과정입니다. 이는 성숙한 인격을 형성하는 데 필요하며, 자신의 성장을 위해 반드시 필요합니다. 잘못을 인정하는 용기를 통해 우리는 더욱 나은 사람이 됩니다.

2. 잘못을 고치기 위한 구체적인 계획을 세워라

잘못을 단순히 인정하는 것만으로는 충분하지 않습니다. 이를 고치기 위한 구체적인 계획을 세우고 실천해야 합니다. 잘못의 원인을 분석하고, 그것을 바로 잡기 위해 필요한 조치를 취하는 것이 중요합니다. 건강 관리를 소홀히 했다면, 운동 계획을 세우고 식습관을 개선하는 등의 구체적인 행동을 시작해야 합니다. 이러한 계획을 통해 우리는 잘못을 바로 잡고 더 나은 방향으로 나아갑니다.

3. 타인과의 관계에서 잘못을 고쳐라

잘못을 고치는 것은 타인과의 관계에서도 매우 중요합니다. 가족, 친구, 동료와 관계에서 우리는 종종 실수를 저지르거나 상처를 줍니다. 이러한 잘못을 인정하고 진심으로 사과하며 고치는 노력을 기울이는 것이 중요합니다. 이를 통해 신뢰를 회복하고 관계를 더욱 돈독히 합니다. 타인과의 관계에서 잘못을 고치는 것은 우리 삶의 질을 향상시키고, 더 나은 사회적 환경을 조성하는 데 기여합니다.

20. 생각하지 않으면 답이 없다

"공자께서 말씀하셨다. "'어찌하면 좋을까, 어찌하면 좋을까' 하며 고민하고 노력하지 않는 사람이라면, 나도 정말 어찌할 수가 없다."" 《논어, 위령공편》

1. 자기 성찰의 중요성

공자는 **"어찌하면 좋을까?"** 라는 고민과 노력이 없다면 아무런 진전을 이룰 수 없다고 말했습니다. 이는 자기 성찰의 중요성을 강조한 말입니다. 우리는 끊임없이 자신을 돌아보고, 현재의 상황과 자신의 행동을 성찰해야 합니다. 성찰 없이 단순히 시간에 몸을 맡기면, 우리 인생은 정체되고 맙니다. 인생의 후반기에 접어든 우리는 특히 자신의 과거를 되돌아보며, 어떤 선택이 옳았고 무엇을 개선해야 하는지를 명확히 할 필요가 있습니다. 이를 통해 우리는 앞으로의 삶을 더욱 의미 있고 풍요롭게 만듭니다. 자기 성찰은 단순히 과거를 되돌아보는 것뿐 아니라, 현재의 문제를 해결하고 미래를 계획하는 데 있어서 필수적인 과정입니다. 성찰을 통해 우리는 자신의 진정한 욕구와 필요를 이해하게 되며, 이는 더 나은 결정을 내리는 데 큰 도움이 됩니다.

2. 끊임없는 학습과 노력

공자의 말씀은 또한 끊임없는 학습과 노력이 중요하다는 것을 일깨워줍니다. 장년은 이미 많은 것을 배웠다고 생각할 수 있지만, 세상은 끊임없이 변화하고 있습니다. 새로운 지식과 기술을 습득하고, 현재의 흐름에 맞춰 자신의 능력을 발전시키는 것은 매우 중요합니다. 학습과 노력 없이 현재에 안주하면 우리는 시대에 뒤처질 수밖에 없습니다. 끊임없이 배우고, 스스로에게 도전하는 자세를 유지하는 것이 필요합니다. 이는 단순히 직업적 성취뿐만 아니라, 개인적인 성장과 만족을 위해서도 중요합니다. 새로운 것을 배우고 도전하는 과정에서 우리는 더 많은 기쁨과 보람을 느낄 수 있으며, 이는 삶의 활력을 불어넣는 중요한 요소가 됩니다. 특히 장년기에 접어들면서 새로운 취미나 활동을 시작하는 것은 정신적, 신체적 건강을 유지하는 데 큰 도움이 됩니다.

3. 실천과 행동

마지막으로, 공자의 말씀은 고민과 노력이 실천과 행동으로 이어져야 함을 강조합니다. 아무리 좋은 생각과 계획을 가지고 있더라도, 이를 실천하지 않으면 아무런 소용이 없습니다. 장년은 많은 계획과 목표를 세울 수 있지만, 이를 실행에 옮기지 않으면 우리의 삶은 변화하지 않습니다. 실천은 작은 일부터 시작합니다. 하루하루의 작은 실천이 쌓여 큰 변화를 이루게 됩니다. 건강을 위해 매일 산책을 하거나, 새로운 취미를 시작하는 것도 좋은 시작입니다. 중요한 것은 지속적으로 행동하는 것이며, 행동을 통해 변화를 체감하고, 더욱 적극적으로 삶을 살아가게 됩니다. 실천을 통해 우리는 자신의 능력을 확인하고, 새로운 가능성을 발견하게 됩니다. 이는 자신감과 성취감을 높이는 데 큰 역할을 합니다.

결론적으로, 공자의 가르침은 장년에 어떻게 살아야 하는지에 대한 중요한 지침을 제공해 줍니다. 자기 성찰, 끊임없는 학습과 노력, 그리고 실천과 행동이 우리의 삶을 더욱 풍요롭고 의미 있게 만들어줍니다. 고민하고 노력하는 자세를 유지함으로써 우리는 더 나은 미래를 만들어 갑니다. 인생의 황금기에 접어든 지금, 우리는 공자의 지혜를 통해 더욱 성숙하고 만족스러운 삶을 살아갑니다.

장년을 위한 인문학 코칭

1. 끊임없이 자기 성찰을 하라

장년은 많은 경험과 지혜를 축적하게 됩니다. 그러나 공자는 "어찌하면 좋을까"라고 고민하지 않는다면 진전을 이룰 수 없다고 말했습니다. 이는 자기 성찰의 중요성을 강조한 말입니다. 우리는 끊임없이 자신을 돌아보고, 현재의 상황과 자신의 행동을 성찰해야 합니다. 이를 통해 앞으로의 삶을 더욱 의미 있고 풍요롭게 만듭니다.

2. 지속적으로 학습하고 노력하라

공자의 말씀은 끊임없는 학습과 노력이 중요하다는 것을 일깨워줍니다. 장년에는 이미 많은 것을 배웠다고 생각할 수 있지만, 세상은 끊임없이 변화하고 있습니다. 새로운 지식과 기술을 습득하고, 현재의 흐름에 맞춰 자신의 능력을 발전시키는 것은 매우 중요합니다. 학습과 노력 없이 현재에 안주하면 우리는 시대에 뒤처질 수밖에 없습니다. 지속적인 학습과 노력은 개인적인 성장과 만족을 위해서도 중요합니다.

3. 실천과 행동으로 이어져야 한다

공자의 말씀은 고민과 노력이 실천과 행동으로 이어져야 함을 강조합니다. 아무리 좋은 생각과 계획을 가지고 있더라도, 이를 실천하지 않으면 아무런 소용이 없습니다. 장년에는 많은 계획과 목표를 세우지만, 이를 실행에 옮기지 않으면 우리의 삶은 변화하지 않습니다. 하루하루의 작은 실천이 쌓여 큰 변화를 이루게 됩니다. 중요한 것은 지속적으로 행동합니다.

자기성장

21. 남 탓하기 전에
자신의 부족함을 인정하라

"공자께서 말씀하셨다. "군자는 자신의 무능함을 근심하지, 남이 자기를 알아주지 않음을 근심하지 않는다.""《논어, 위령공편》

1. 자신의 부족함을 인정하라

공자는 **"군자는 자신의 무능함을 근심하지, 남이 자기를 알아주지 않음을 근심하지 않는다"**라고 말했습니다. 이는 자신의 부족함을 먼저 인정하는 것이 중요하다는 뜻입니다. 우리는 종종 남의 탓을 하며 자신의 문제를 회피하려고 합니다. 하지만 진정한 성장은 자신의 부족함을 직시하고 이를 개선하는 데서 시작됩니다. 자신이 부족한 부분을 인정하는 것은 결코 부끄러운 일이 아닙니다. 오히려 이는 성숙한 태도로, 문제를 해결하고 더 나은 방향으로 나아가는 첫걸음입니다. 장년에는 특히 자신을 돌아보며 과거의 실수나 부족함을 인정하고, 이를 바탕으로 더욱 성숙한 삶을 살아가야 합니다. 자신의 부족함을 인정하는 것은 자신을 개선하고 발전시키는 출발점이 됩니다.

2. 남을 이해하고 배려하라

자신의 부족함을 인정하는 것은 다른 사람을 더 잘 이해하고 배려하는 데도 중요한 역할을 합니다. 공자는 남이 자기를 알아주지 않는 것을 근심하지 말라고 했습니다. 이는 다른 사람의 인정을 받기 위해 애쓰는 대신, 먼저 자신이 다른 사람을 이해하고 배려해야 한다는 뜻입니다. 장년에는 이미 많은 인간관계를 경험했기 때문에, 타인을 이해하는 능력이 중요합니다. 다른 사람의 입장을 이해하고 그들의 감정을 배려하는 태도는 건강한 인간관계를 유지하는 데 필요합니다. 이를 통해 우리는 더 깊고 의미 있는 인간관계를 형성할 수 있으며, 이는 우리 삶을 더욱 풍요롭게 만듭니다. 타인을 배려하는 마음은 공동체를 더욱 단단하게 묶어줍니다.

3. 자기계발에 힘쓰라

마지막으로, 공자의 말씀은 자기계발에 힘쓰라는 중요한 교훈을 줍니다. 자신의 부족함을 인정하고, 이를 개선하기 위한 노력을 게을리하지 않는 것이 중요합니다. 장년에는 이미 많은 것을 이루었을지라도, 끊임없이 자기계발에 힘쓰는 자세가 필요합니다. 새로운 지식을 습득하고, 자신의 능력을 향상시키는 것은 삶의 활력을 불어넣는 중요한 요소입니다. 새로운 취미를 시작하거나, 건강을 위해 운동을 지속하는 것도 자기계발의 한 방법입니다. 중요한 것은 꾸준히 노력하는 자세입니다. 이를 통해 우리는 더욱 의미 있고 보람 있는 삶을 살아갑니다. 자기계발은 삶에 대한 긍정적인 태도를 유지하고, 지속적인 성장을 가능하게 합니다.

결론적으로, 공자의 가르침은 장년에 어떻게 살아야 하는지에 대한 중요한 지침을 제공해 줍니다. 남을 탓하기 전에 자신의 부족함을 인정하고, 남을 이해하고 배려하며, 끊임없이 자기계발에 힘쓰는 자세가 필요합니다. 이는 우리의 삶을 더욱 풍요롭고 의미 있게 만들어줍니다. 자신의 부족함을 인정하고 개선하려는 노력은 결국 자신뿐만 아니라 주변 사람들에게도 긍정적인 영향을 미칩니다. 인생의 황금기에 접어든 지금, 우리는 공자의 지혜를 통해 더욱 성숙하고 만족스러운 삶을 살아갈 수 있습니다. 공자의 가르침을 마음에 새기고, 성찰과 배려, 자기계발을 실천함으로써 우리는 자신과 주변 사람들에게 긍정적인 변화를 일으킬 수 있습니다. 이는 장년층이 젊은 세대에게 전수해야 할 중요한 가치이며, 세대 간의 이해와 화합을 도모합니다.

장년을 위한 인문학 코칭

1. 자신의 부족함을 인정하라

장년은 많은 경험과 지혜를 쌓았지만, 여전히 부족한 점이 있습니다. 공자는 자신의 무능함을 근심하는 것이 중요하다고 했습니다. 이는 자신의 약점을 직시하고 이를 개선하는 것이 진정한 성장을 이루는 길임을 의미합니다. 자신의 부족함을 인정하는 것은 겸손과 자기 반성을 통해 더 나은 사람이 되기 위한 첫걸음입니다.

2. 남을 이해하고 배려하라

공자는 남이 자기를 알아주지 않는 것을 근심하지 말라고 했습니다. 이는 다른 사람의 인정을 구하는 대신, 먼저 그들을 이해하고 배려하는 자세가 필요합니다. 장년에는 타인의 입장을 이해하고 그들의 감정을 존중하는 능력이 더욱 중요합니다. 이를 통해 우리는 건강하고 깊은 인간관계를 유지할 수 있으며, 서로에 대한 신뢰와 존경을 쌓게 됩니다.

3. 지속적으로 자기계발에 힘쓰라

자신의 부족함을 인정하고, 이를 개선하기 위해 끊임없이 노력하는 것이 중요합니다. 장년에는 이미 많은 것을 이루었을지라도, 새로운 지식을 습득하고 자신의 능력을 높이는 노력을 멈추지 않아야 합니다. 이는 개인적인 성장을 촉진하고 삶의 활력을 유지하는 데 필요합니다. 새로운 취미를 시작하거나, 건강을 위해 운동을 지속하는 등 다양한 방법으로 자기계발을 추구해야 합니다.

22. 가장 큰 가르침, 배려

"자공이 여쭈었다. "한 마디 말로 평생토록 실천할 만한 것이 있습니까?" 공자께서 말씀하셨다. "그것은 서(恕)로다. 자기가 원하지 않는 것을 남에게 하지 않는 것이다.""《논어, 위령공편》

1. 배려의 중요성

공자는 자기가 원하지 않는 것을 남에게 하지 않는 것, 즉 배려를 최고의 가르침으로 제시했습니다. 이는 단순한 도덕적 교훈을 넘어, 인간관계의 본질을 꿰뚫는 지혜입니다. 배려는 타인의 감정과 입장을 존중하는 마음에서 출발합니다. 공자는 이러한 배려를 '서(恕)'라고 합니다. 우리는 종종 자신의 관점에서만 상황을 판단하고 행동하곤 합니다. 그러나 배려는 타인의 관점을 이해하고, 그들이 느끼는 바를 헤아리는 것을 의미합니다. 장년은 다양한 인간관계를 경험하게 되는데, 이러한 관계를 더욱 깊고 의미 있게 만드는 것이 바로 배려입니다. 배려를 통해 우리는 신뢰와 존경을 받게 되며, 이는 우리가 속한 공동체를 더욱 화목하게 만듭니다. 배려는 단순히 남을 위해서가 아니라, 우리 자신을 더욱 성숙하게 만드는 중요한 덕목입니다.

2. 배려의 실천

배려는 말로만 끝나는 것이 아니라, 실제 행동으로 실천되어야 합니다. 공자의 가르침은 단순히 도덕적인 이상을 설파하는 것이 아니라, 실질적인 삶의 지침을 제공합니다. 배려를 실천하는 방법은 매우 다양합니다. 타인의 의견을 경청하고, 그들의 필요를 이해하며, 가능한 도움을 주는 것이 배려의 한 형태입니다. 또한, 타인의 실수를 용서하고, 그들의 입장을 이해하며, 불필요한 비판을 자제하는 것도 중요합니다. 장년에는 이러한 배려의 실천이 더욱 중요합니다. 이는 우리의 삶을 더욱 풍요롭게 만들고, 주변 사람들과의 관계를 더욱 깊고 의미 있게 만듭니다. 배려는 작은 행동에서부터 시작되며, 이는 결국 큰 변화를 가져옵니다. 우리는 매일의 작은 실천을 통해 배려의 가치를 삶에 녹여낼 수 있습니다. 예를 들어, 가족이나 친구에게 작은 친절을 베푸는 것, 혹은 이웃을 도와주는 것은 배려의 실천을 위한 좋은 방법입니다.

3. 배려의 혜택

배려는 단지 타인을 위한 것이 아니라, 우리 자신에게도 큰 혜택을 줍니다. 배려는 우리의 정신적, 정서적 건강에 긍정적인 영향을 미칩니다. 타인을 배려하는 과정에서 우리는 자신을 돌아보고, 더 나은 사람이 되기 위한 노력을 하게 됩니다. 이는 우리의 자아존중감을 높이고, 삶에 대한 만족도를 증가시킵니다. 또한, 배려를 통해 우리는 더 많은 사람에게 존경과 신뢰를 얻게 됩니다. 이는 우리의 사회적 네트워크를 확장하고, 더 많은 기회를 가져다 줍니다. 장년에 이러한 배려의 가치는 더욱 빛을 발합니다. 우리는 인생의 황금기에 접어들며, 더 많은 사람에게 긍정적인 영향을 미칩니다. 배려는 우리의 삶을 더욱 풍요롭고 의미 있게 만드는 중요한 요소입니다. 이를 통해 우리는 더 많은 사람들과 깊이 있는 관계를 맺고, 사회적으로도 큰 기여를 합니다.

결론적으로, 공자의 가르침인 배려는 장년에 어떻게 살아야 하는지에 대한 중요한 지침을 제공합니다. 배려의 중요성을 깨닫고, 이를 실천하며, 그 혜택을 누리는 삶은 우리의 인생을 더욱 풍요롭고 의미 있게 만듭니다. 남을 배려하는 마음과 행동은 결국 우리 자신에게 돌아오는 선물입니다. 장년은 배려의 가치를 다시 한 번 되새기고, 이를 통해 더욱 성숙하고 만족스러운 삶을 살아갑니다. 배려는 단순히 도덕적 덕목이 아니라, 우리의 삶을 윤택하게 만드는 실천적 지혜입니다. 이를 통해 우리는 더 나은 사회를 만들고, 자신과 타인 모두에게 긍정적인 영향을 미칩니다.

장년을 위한 인문학 코칭

1. 타인의 입장을 이해하고 존중하라

공자는 자신이 원하지 않는 것을 남에게 하지 말라고 가르쳤습니다. 이는 배려의 핵심으로, 타인의 감정과 상황을 이해하고 존중하는 것을 의미합니다. 장년에는 다양한 경험을 통해 타인의 입장을 이해할 수 있는 능력이 커집니다. 이를 바탕으로 우리는 주변 사람들의 감정을 배려하고, 그들의 입장을 존중하는 태도를 가져야 합니다.

2. 작은 배려의 실천을 생활화하라

배려는 거창한 것이 아니라 일상의 작은 행동에서 시작됩니다. 공자의 가르침은 매일의 생활 속에서 작은 배려를 실천하는 것을 강조합니다. 가족과 친구의 이야기를 경청하고, 필요한 도움을 제공하며, 상대방의 실수를 용서하는 것이 배려의 실천입니다. 장년에는 이러한 작은 배려의 실천이 더욱 중요합니다. 이는 우리의 삶을 풍요롭게 만들고, 주변 사람들과의 관계를 더욱 돈독히 합니다.

3. 배려로 자신이 성장하라

배려는 단지 타인을 위한 것이 아니라, 우리 자신의 성장을 위한 것입니다. 배려하는 과정에서 우리는 자신의 이기심을 내려놓고, 더 넓은 시야로 세상을 바라볼 수 있게 됩니다. 이는 우리의 정신적, 정서적 건강에 긍정적인 영향을 미칩니다. 장년에 배려를 실천함으로써 우리는 더욱 성숙하고 만족스러운 삶을 살아갈 수 있습니다. 배려는 우리 자신을 돌아보고, 더 나은 사람이 되기 위한 중요한 도구입니다.

23. 좋아할 것 세 가지,
해로운 것 세 가지

"예악의 절도를 따르기를 좋아하고, 남의 좋은 점을 말하기를 좋아하고, 현명한 벗을 많이 사귀기를 좋아하면 유익하다. 교만하게 즐기기를 좋아하고, 방탕하게 노는 데 빠지기를 좋아하고, 주색에 싸여 음란하게 놀기를 좋아하면 해롭다."《논어, 계씨편》

1. 좋아할 것 세 가지
장년은 삶의 방향을 더욱 명확히 할 필요가 있습니다.
첫째, 예악의 절도를 따르기를 좋아해야 합니다. 예악(禮樂)은 예절과 음악을 의미하며, 이는 질서와 조화를 상징합니다. 예악의 절도를 따르는 것은 자신의 삶에 질서를 부여하고, 사회적 조화를 이루는 데 도움이 됩니다. 가정에서의 역할을 충실히 하고, 사회적 규범을 존중하는 태도는 우리의 삶을 더욱 풍요롭게 만듭니다.
둘째, 남의 좋은 점을 말하기를 좋아해야 합니다. 이는 타인의 장점을 칭찬하고, 긍정적인 면을 부각하는 것을 의미합니다. 장년은 다양한 사람들과의 교류를 통해 많은 경험을 쌓아왔습니다. 이러한 경험을 바탕으로 타인의 장점을 인정하고 칭찬하는 것은 사회적 관계를 더욱 원만하게 만들어 줍니다. 칭찬은 사람들 사이의 신뢰를 높이고, 서로를 격려하는 데 중요한 역할을 합니다.

셋째, 현명한 벗을 많이 사귀기를 좋아해야 합니다. 현명한 친구들은 우리의 삶에 긍정적인 영향을 미칩니다. 그들은 올바른 조언을 해주고, 어려운 상황에서 지혜로운 길을 제시해 줄 수 있습니다. 장년은 오랜 시간 동안 쌓아온 인간관계를 통해 좋은 친구들을 많이 사귀었을 것입니다. 이들을 가까이 두고, 지속적으로 교류하며 서로의 성장을 돕는 것은 매우 유익합니다.

2. 해로운 것 세 가지

첫째, 교만하게 즐기기를 좋아하는 것은 해롭습니다. 교만은 자신의 능력이나 지위를 과대평가하며 타인을 무시하는 태도를 의미합니다. 이러한 태도는 인간관계를 악화시키고, 사회적 갈등을 초래할 수 있습니다. 장년은 많은 성취를 이루었을지라도, 겸손한 태도를 유지하며 타인과 조화를 이루는 것이 중요합니다. 겸손은 인간관계를 원만하게 유지하고, 더 나은 사회적 환경을 만듭니다.

둘째, 방탕하게 노는 데 빠지기를 좋아하는 것은 해롭습니다. 방탕은 절제 없이 즐거움을 추구하는 것을 의미합니다. 이는 우리의 건강과 재정, 인간관계에 부정적인 영향을 미칩니다. 장년은 건강을 유지하고, 안정된 생활을 위해 절제 있는 생활 태도를 가져야 합니다. 절제는 우리 삶의 균형을 유지하고, 장기적으로 행복을 추구하는 데 도움이 됩니다.

셋째, 주색에 싸여 음란하게 놀기를 좋아하는 것은 해롭습니다.
주색과 음란은 우리의 정신과 신체를 황폐하게 만들며, 도덕적 타락을 초래합니다. 이는 개인의 건강뿐만 아니라, 가정과 사회의 안녕을 위협합니다. 장년은 자신의 건강을 지키고, 도덕적 기준을 준수하며 삶의 질을 높이는 데 주력해야 합니다.

결론적으로, 장년이 좋아할 것 세 가지와 해로운 것 세 가지를 명심하며 살아가는 것은 개인의 성장과 사회적 조화를 이루는 데 필수입니다. 예악의 절도를 따르고, 남의 좋은 점을 칭찬하며, 현명한 벗을 사귀는 것은 우리의 삶을 더욱 풍요롭게 만듭니다. 반면, 교만하게 즐기고, 방탕하며, 주색에 빠지는 것은 해로운 영향을 미칩니다. 이는 장년층이 젊은 세대에게 전수해야 할 중요한 가치이며, 인생의 후반부를 더욱 의미 있게 만드는 길입니다. 이러한 가르침을 실천함으로써 우리는 더 나은 삶을 살아갈 수 있으며, 주변 사람들에게도 긍정적인 영향을 미칩니다. 장년은 이러한 지혜를 통해 자신과 타인에게 유익한 삶을 살아갑니다.

1. 예악의 절도를 따르기를 좋아하라

장년에는 자신의 삶에 질서와 조화를 부여하는 것이 중요합니다. 예악 (禮樂)의 절도는 예절과 음악을 통해 삶의 균형을 유지하는 것을 의미합 니다. 예절을 지키고, 사회적 규범을 존중하는 태도는 우리의 삶을 더욱 풍요롭게 합니다. 이는 가정 내에서도 질서를 유지하고, 사회적 관계를 원활하게 하는 데 큰 도움이 됩니다.

2. 남의 좋은 점을 말하기를 좋아하라.

타인의 장점을 인정하고 칭찬하는 것은 인간관계를 더욱 원만하게 만듭 니다. 장년은 다양한 사람들과 교류를 통해 많은 경험을 쌓아왔습니다. 이러한 경험을 바탕으로 타인의 좋은 점을 찾아내고, 그것을 진심으로 칭찬하는 것은 서로 간의 신뢰를 높이고, 긍정적인 사회적 분위기를 조 성하는 데 중요합니다. 칭찬은 사람들 사이의 유대를 강화하고, 서로를 격려하는 중요한 수단입니다.

3. 현명한 벗을 많이 사귀기를 좋아하라.

현명한 친구들은 우리의 삶에 긍정적인 영향을 미칩니다. 그들은 올바른 조언을 해주고, 어려운 상황에서 지혜로운 길을 제시할 수 있습니다. 장 년은 오랜 시간 동안 쌓아온 인간관계를 통해 좋은 친구들을 많이 사귀 었을 것입니다. 이러한 친구들과의 지속적인 교류는 서로의 성장을 돕고, 삶의 질을 높이는 데 큰 도움이 됩니다.

24. 선을 쫓는데 최선을 다하라

"선한 것을 보면 마치 거기에 미치지 못할 듯이 열심히 노력해야 하고, 선하지 않은 것을 보면 마치 끓는 물에 손을 넣은 듯이 재빨리 피해야 한다는데, 나는 그런 사람을 보았고, 그런 말을 들었다." 《논어, 계씨편》

1. 선한 것을 추구하는 열정

장년은 선한 것을 추구하는 데 더욱 열정을 가져야 합니다. 인생의 많은 경험을 통해 우리는 무엇이 선한 것인지, 무엇이 우리 삶을 풍요롭게 만드는 것인지를 잘 알고 있습니다. 선한 것을 추구하는 것은 단순히 도덕적 의무를 다하는 것을 넘어서, 우리의 삶을 더욱 풍요롭고 의미 있게 만드는 행위입니다. 선한 행동으로 자신뿐만 아니라 주변 사람들에게도 긍정적인 영향을 미칩니다. 이는 가족, 친구, 사회 전체에 걸쳐 긍정적인 변화를 가져옵니다. 자원봉사 활동에 참여하거나, 어려운 상황에 처한 이웃을 돕는 행동은 우리의 삶을 더욱 풍요롭게 만듭니다. 선한 것을 추구하는 데 열정을 가지면 우리는 더욱 풍요롭고 만족스러운 삶을 살 수 있습니다. 또한, 선한 행동은 우리 자신에게도 큰 만족감을 주며,

삶의 목적을 더욱 명확하게 해줍니다.

2. 악한 것을 피하는 신속함

선한 것을 추구하는 것만큼 중요한 것은 선하지 않은 것을 피하는 것입니다. 인생의 경험을 통해 우리는 무엇이 우리를 해롭게 만드는지 잘 알고 있습니다. 선하지 않은 것들을 피하는 것은 우리의 정신적, 육체적 건강을 지키는 데 필수입니다. 이는 마치 끓는 물에 손을 넣지 않는 것처럼, 즉각적이고 신속하게 이루어져야 합니다. 예를 들어, 부정적인 생각이나 행동, 건강에 해로운 습관 등은 즉시 피해야 합니다. 장년은 이러한 선하지 않은 요소들을 피하는 데 있어 더 큰 지혜와 결단력을 발휘합니다. 부정적인 사람들과의 교류를 줄이고, 해로운 습관을 멀리하는 등 신속한 판단과 행동이 필요합니다. 이는 우리 삶의 질을 높이고, 건강하고 행복한 삶을 유지하는 데 중요합니다. 선하지 않은 것들을 피함으로써 우리는 자신과 주변 사람들의 삶을 보호합니다.

3. 선을 쫓는 지속적인 노력

선을 쫓는 것은 일시적인 행동이 아니라 지속적인 노력이 필요합니다. 장년은 그동안 쌓아온 경험과 지혜를 바탕으로 선을 추구하는 데 지속적인 노력을 기울입니다. 이는 작은 일상적인 행동에서부터 시작됩니다. 매일의 삶 속에서 작은 선한 행동들을 실천합니다. 주변 사람들에게 친절하게 대하고, 어려운 상황에서 도와주며, 자신의 능력을 타인과 나누는 등 다양한 방법으로 선을 실천합니다. 이러한 작은 선한 행동들이 모여 우리의 삶을 더욱 의미 있게 만듭니다. 지속적으로 선을 쫓는 노력은 우리 자신뿐만 아니라 주변 사람들에게도 큰 영향을 미칩니다. 장년은 이러한 지속적인 노력을 통해 자신뿐만 아니라 주변 사람들에게 긍정적인 변화를 가져옵니다.

결론적으로, 장년이 선을 쫓는 데 최선을 다하는 것은 개인의 성장과 사회적 조화를 이루는 데 필수입니다. 선한 것을 추구하는 열정, 선하지 않은 것을 피하는 신속함, 그리고 지속적인 노력을 통해 우리는 더욱 의미 있고 풍요로운 삶을 살 수 있습니다. 이는 장년층이 젊은 세대에게 전수해야 할 중요한 가치이며, 인생의 후반부를 더욱 의미 있게 만드는 길입니다. 선을 쫓는 데 최선을 다함으로써 우리는 더 나은 삶을 살아가며, 주변 사람들에게도 긍정적인 영향을 미칩니다. 이는 세대 간의 이해와 화합을 도모하는 데 큰 기여를 하며, 우리의 사회를 더욱 건강하고 행복하게 만드는 데 중요한 역할을 합니다. 장년은 선을 추구하는 데 있어서 지속적으로 노력해야 하며, 이를 통해 더 나은 세상을 만들어 나갑니다.

장년을 위한 인문학 코칭

1. 선한 것을 추구하는 열정을 가져라

장년은 인생의 경험을 통해 무엇이 선한 것인지 명확히 알게 됩니다. 선한 것을 보면 마치 거기에 미치지 못할 듯이 열심히 노력해야 합니다. 이는 도덕적 의무를 다하는 것을 넘어, 자신의 삶을 더욱 풍요롭고 의미 있게 만드는 행위입니다. 선한 행동을 통해 우리는 자신뿐만 아니라 가족, 친구, 사회 전체에 긍정적인 영향을 미칩니다.

2. 선하지 않은 것을 피하는 신속함을 가져라

선하지 않은 것을 보면 마치 끓는 물에 손을 넣은 듯이 재빨리 피해야 합니다. 장년은 인생의 경험을 통해 무엇이 해로운지를 잘 알고 있습니다. 이러한 해로운 요소들을 즉각적으로 피하는 것은 우리의 정신적, 육체적 건강을 지켜야 합니다. 부정적인 생각이나 행동, 건강에 해로운 습관 등을 신속히 피하는 것이 중요합니다. 이는 삶의 질을 높이고, 건강하고 행복한 삶을 유지하는 데 도움이 됩니다.

3. 지속적인 선의 실천을 하라

선한 것을 추구하는 것은 일시적인 행동이 아니라 지속적인 노력이 필요합니다. 장년은 그동안 쌓아온 지혜를 바탕으로 일상에서 지속적으로 선을 실천합니다. 주변 사람들에게 친절을 베풀고, 어려운 상황에서 도움을 주며, 자신의 능력을 나누는 등 작은 선한 행동들을 통해 우리는 더 큰 의미를 찾습니다. 지속적으로 선을 실천하는 노력은 우리 자신뿐만 아니라 주변 사람들에게도 큰 영향을 미칩니다.

25. 실패에서도 못 배운다고?

"공자께서 말씀하셨다. "태어나면서부터 아는 사람은 최상이고, 배워서 아는 사람은 그 다음이며, 곤란한 지경에 처하여 배우는 사람은 또 그 다음이고, 곤란한 지경에 처하여도 배우지 않는 사람은 백성들 중에서도 최하이다.""《논어, 위령공편》

1. 실패를 학습의 기회로 삼아라

공자는 태어나면서부터 아는 사람, 배워서 아는 사람, 곤란한 지경에 처하여 배우는 사람, 그리고 배울 기회를 놓치는 사람에 대해 말했습니다. 이 중 가장 중요한 교훈은 실패에서 배웁니다. 실패는 우리에게 귀중한 교훈을 제공합니다. 실패를 단순히 좌절로 받아들이기보다는, 이를 통해 무엇이 잘못되었는지 분석하고, 다음에 더 나은 선택을 할 수 있도록 준비하는 것이 중요합니다. 실패는 우리를 성장하게 하고, 더욱 성숙한 사람이 되도록 돕습니다. 이를 통해 우리는 인생의 여러 도전을 보다 현명하게 대처할 수 있게 됩니다. 장년은 그동안 많은 실패와 성공을 경험했을 것입니다. 중요한 것은 실패를 통해 배운 교훈을 다음에 적용하여, 더 나은 결과를 이룹니다.

2. 끊임없는 학습의 자세를 유지하라

공자는 배워서 아는 사람을 최상의 다음으로 평가했습니다. 이는 끊임없는 학습의 중요성을 강조합니다. 장년은 이미 많은 것을 배웠다고 생각할 수 있지만, 배움은 끝이 없습니다. 우리는 새로운 지식과 기술을 습득하고, 변화하는 세상에 적응해야 합니다. 이는 정신적 활력을 유지하고, 삶의 질을 높이는 데 중요한 역할을 합니다. 실패를 경험한 후에도 우리는 계속해서 배우고 성장합니다. 중요한 것은 포기하지 않고, 배움을 통해 더 나은 방향으로 나아가는 것입니다. 새로운 언어를 배우거나, 새로운 취미를 시작하는 등 다양한 방식으로 학습의 자세를 유지하는 것이 필요합니다. 학습은 단지 책을 읽는 것에 그치지 않고, 새로운 경험을 통해 세상을 이해하고 자신의 역량을 확장하는 과정입니다.

3. 실패를 두려워하지 말라

공자는 곤란한 지경에 처하여도 배우지 않는 사람을 최하로 평가했습니다. 이는 실패를 두려워하지 말고, 오히려 이를 학습의 기회로 삼아야 한다는 의미입니다. 장년은 이미 많은 실패를 경험했을지라도, 이를 통해 배우지 않으면 발전이 없습니다. 실패를 두려워하는 대신, 이를 통해 얻은 교훈을 바탕으로 더 나은 선택을 하고, 성장하는 기회로 삼아야 합니다. 실패는 우리를 더욱 강하게 만들고, 새로운 도전에서 성공할 수 있는 기반을 제공합니다. 실패를 두려워하지 않는 자세는 우리의 삶을 더욱 풍요롭게 만들고, 새로운 기회를 창출하게 합니다. 장년은 실패를 통해 더욱 강해지고, 더 나은 미래를 만들어갑니다.

결론적으로, 공자의 가르침은 장년이 어떻게 살아야 하는지 중요한 지침을 제공합니다. 실패를 학습의 기회로 삼고, 끊임없는 학습의 자세를 유지하며, 실패를 두려워하지 않는 것이 중요합니다. 이는 우리의 삶을 더욱 풍요롭고 의미 있게 만들어줍니다. 실패에서 배우지 않는 사람은 결국 성장할 수 없으며, 인생의 중요한 기회를 놓치게 됩니다. 장년은 공자의 지혜를 통해 더욱 성숙하고 만족스러운 삶을 살아갈 수 있습니다. 실패를 받아들이고, 이를 통해 배우는 자세는 우리의 인생을 더욱 깊고 의미 있게 만듭니다.

첫째, 실패를 학습의 기회로 삼아라

공자는 실패를 통해 배우지 않는 사람을 최하로 평가했습니다. 장년은 이미 많은 실패와 성공을 경험했지만, 중요한 것은 그 실패에서 교훈을 얻는 것입니다. 실패는 우리에게 무엇이 잘못되었는지, 어떻게 개선할 수 있는지를 알려주는 귀중한 기회입니다. 이를 통해 우리는 더 나은 선택을 하고, 인생의 도전을 현명하게 대처합니다. 실패를 단순히 좌절로 받아들이기보다는 성장의 발판으로 삼아야 합니다.

둘째, 끊임없이 배우는 자세를 유지하라

공자는 배워서 아는 사람을 최상의 다음으로 평가했습니다. 이는 끊임없는 학습의 중요성을 강조한 것입니다. 장년에는 많은 것을 이미 배웠다고 생각할 수 있지만, 배움에는 끝이 없습니다. 새로운 지식과 기술을 습득하고, 변화하는 세상에 적응하는 것은 정신적 활력을 유지하고, 삶의 질을 높이는 데 중요한 역할을 합니다. 학습은 우리의 성장과 발전을 지속시키는 원동력입니다.

셋째, 실패를 두려워하지 말고 도전을 계속하라

실패를 경험한 후에도 배우지 않는 사람은 발전이 없습니다. 실패를 두려워하는 대신, 이를 통해 얻은 교훈을 바탕으로 새로운 도전에 나서야 합니다. 장년에는 실패에 대한 두려움이 커질 수 있지만, 실패를 통해 우리는 더욱 강해지고, 새로운 기회를 창출합니다. 실패를 두려워하지 않는 자세는 우리의 삶을 더욱 풍요롭고 의미 있게 만들어줍니다.

26. 여전히 성격은 변할 수 있다

"타고난 본성은 서로 비슷하지만, 습성에 따라 서로 달라진다."
《논어, 양화편》

1. 본성은 비슷하지만 습성은 다르다

공자는 **"타고난 본성은 서로 비슷하지만, 습성(습관)에 따라 서로 달라진다"**고 하였습니다. 이는 우리 모두가 본래 비슷한 성품을 가지고 태어나지만, 자라온 환경과 경험에 따라 성격이 달라진다는 뜻입니다. 이 말은 장년에게 큰 의미가 있습니다. 인생의 후반부에서도 우리는 여전히 자신의 성격과 행동을 변화시킬 수 있는 능력이 있음을 상기시켜 줍니다. 습성(습관)은 지속적인 노력을 통해 형성되기 때문에, 우리는 새로운 습관을 만들고, 기존의 부정적인 습관을 고치는 과정을 통해 더 나은 사람으로 변할 수 있습니다. 나이가 들어도 습관을 바꾸고 성격을 변화시키는 것은 가능하며, 이를 통해 우리는 더욱 성숙하고 균형 잡힌 삶을 살 수 있습니다.

2. 변화를 위한 자기 성찰과 결단

성격을 변화시키기 위해서는 먼저 자기 성찰이 필요합니다. 우리는 자신의 행동과 성격을 객관적으로 바라보고, 무엇이 문제인지 인식해야 합니다. 이는 쉽지 않은 과정이지만, 매우 중요합니다. 장년은 오랜 경험을 통해 많은 것을 배웠으며, 이 경험을 바탕으로 자신을 돌아볼 수 있는 능력이 있습니다. 자기 성찰을 통해 우리는 자신의 성격 중 바꾸고 싶은 부분을 명확히 할 수 있습니다. 그리고 이를 바탕으로 구체적인 변화를 위한 결단을 내려야 합니다. 결단은 단순한 다짐을 넘어서, 실제 행동으로 이어져야 합니다. 매일의 행동과 습관을 점검하고, 조금씩 개선해 나가는 과정이 필요합니다. 이를 통해 우리는 변화의 가능성을 확인하고, 지속적인 성장을 이룰 수 있습니다. 자기 성찰과 결단은 우리를 더욱 나은 방향으로 이끄는 중요한 단계입니다.

3. 지속적인 노력과 긍정적인 환경

성격의 변화는 한 번에 이루어지는 것이 아니라, 지속적인 노력이 필요합니다. 장년은 그동안 쌓아온 지혜와 인내심을 바탕으로 꾸준히 노력하는 힘을 가지고 있습니다. 또한, 긍정적인 환경을 만드는 것이 중요합니다. 주변에 긍정적이고 지지적인 사람들을 두고, 자신을 격려하며 변화를 도울 수 있는 환경을 조성해야 합니다. 이는 가족, 친구, 동료들과의 관계에서 시작됩니다. 긍정적인 환경은 우리의 성격 변화에 큰 영향을 미치며, 우리가 지속적으로 노력할 수 있도록 돕습니다. 긍정적인 사람들과의 대화를 통해 서로 격려하고 지원하는 것은 큰 도움이 됩니다. 또한, 자기개발을 위한 다양한 활동에 참여하는 것도 좋은 방법입니다. 긍정적인 환경은 우리의 변화 과정을 지탱하는 중요한 요소입니다.

결론적으로, 장년은 여전히 성격을 변화시킬 수 있다는 것은 매우 중요한 사실입니다. 우리의 본성은 비슷하지만, 습성을 통해 성격은 달라집니다. 자기 성찰과 결단을 통해 우리는 자신의 성격을 변화시킬 수 있으며, 지속적인 노력과 긍정적인 환경을 통해 그 변화를 유지할 수 있습니다. 이는 개인의 성장과 행복뿐만 아니라, 주변 사람들과의 관계를 개선하고, 사회적 조화를 이루는 데에도 큰 기여를 합니다. 성격은 변할 수 있으며, 장년이 이러한 변화를 실천할 때, 인생의 후반부는 더욱 의미 있고 풍요로워집니다. 이는 젊은 세대에게도 큰 귀감이 될 것입니다.

장년을 위한 인문학 코칭

1. 자기 성찰로 자신의 성격을 이해하라

장년은 자신을 돌아보는 시간을 가질 필요가 있습니다. 공자는 타고난 본성은 비슷하지만 습성(습관)에 따라 달라진다고 하였습니다. 이는 우리 모두가 비슷한 출발점을 가졌지만, 살아온 환경과 경험에 따라 성격이 달라진다는 것을 의미합니다. 자신의 행동과 성격을 객관적으로 성찰하며, 바꾸고 싶은 부분을 명확히 인식하는 것이 중요합니다.

2. 변화를 위한 구체적인 계획을 세워라

성격을 변화시키기 위해서는 구체적인 계획이 필요합니다. 자신의 성격 중 개선하고 싶은 부분을 파악한 후, 이를 실천할 수 있는 현실적인 계획을 세우는 것이 중요합니다. 더 긍정적인 사람이 되고 싶다면 매일 감사의 일기를 쓰거나, 타인에게 친절을 베푸는 작은 행동을 실천하는 것입니다. 이러한 구체적인 계획으로 자신이 변화합니다.

3. 긍정적인 환경을 조성하라

성격의 변화를 지속하기 위해서는 긍정적인 환경이 필요합니다. 주변에 긍정적이고 지지적인 사람들을 두고, 자신을 격려하며 변화를 돕는 환경을 만드는 것이 중요합니다. 이는 가족, 친구, 동료들과의 관계에서 시작될 수 있습니다. 긍정적인 환경은 우리의 성격 변화에 큰 영향을 미치며, 지속적인 노력을 가능하게 합니다.

27. 말과 얼굴빛을 꾸미지 말라

"공자께서 말씀하셨다. "말을 교묘하게 하고 얼굴빛을 곱게 꾸미면서 인한 경우는 드물다."" 《논어, 양화편》

1. 진실한 말이 중요하다

공자는 말을 교묘하게 꾸미는 것에 대해 경고하며, 이러한 행동이 진실을 왜곡할 수 있음을 지적했습니다. 장년은 삶의 경험을 통해 많은 지혜를 쌓아왔고, 그만큼 자신의 말에 책임을 지는 태도가 중요합니다. 진실된 말은 인간관계의 기반을 이루며, 신뢰를 쌓는 데 필요합니다. 반면, 말을 교묘하게 꾸미는 것은 일시적인 이익을 가져다주지만, 결국에는 신뢰를 잃고 관계를 손상시킵니다. 장년은 자신의 말이 타인에게 미치는 영향을 깊이 생각하고, 솔직하고 진실되게 표현함으로써 주변 사람들과의 신뢰를 강화해야 합니다. 이는 특히 젊은 세대들에게 좋은 본보기가 되며, 존경받는 어른으로 자리매김하게 합니다. 진실된 말은 우리의 내면을 반영하며, 타인과의 관계를 더욱 깊고 의미 있게 만듭니다.

진실한 말은 때로는 상대방에게 불편함을 줄 수 있지만, 장기적으로 볼 때 신뢰를 쌓는 데 필수적입니다. 가족이나 친구에게 솔직한 피드백을 주는 것은 그들이 성장하는 데 도움이 됩니다. 진실된 말은 또한 자신의 입장을 명확하게 전달하는 기회를 제공합니다. 이는 오해를 줄이고, 더 나은 의사소통을 가능하게 합니다.

2. 얼굴빛을 꾸미는 것은 문제를 만든다

공자는 얼굴빛을 곱게 꾸미는 것 또한 진실을 감추기 위한 수단이 될 수 있음을 경고합니다. 외모 치장이나 가식적인 미소는 내면의 진실을 숨기려는 시도로 보일 수 있습니다. 장년은 외모보다는 내면의 성숙함과 평화로움을 유지하는 것이 중요합니다. 화려한 화장이나 꾸밈보다는 건강한 생활습관과 긍정적인 마음가짐을 통해 자연스러운 얼굴빛을 유지하는 것이 바람직합니다. 자연스러운 얼굴빛은 내면의 진정성과 성숙함을 반영하며, 타인에게 긍정적인 인상을 줍니다. 또한, 내면의 아름다움은 시간이 지나도 변하지 않는 지속적인 매력을 지니고 있습니다. 우리는 내면의 진실된 감정을 바탕으로 타인과의 관계를 형성해야 하며, 이는 더욱 깊고 의미 있는 인간관계를 가능하게 합니다.

3. 진정성과 신뢰의 관계를 유지하라

말과 얼굴빛을 꾸미지 않는다는 것은 결국 진정성을 유지하는 것입니다. 진정성은 인간 관계에서 가장 중요한 요소 중 하나입니다. 장년은 그동안 쌓아온 인생 경험과 지혜를 바탕으로, 진정성을 통해 신뢰를 쌓아야 합니다. 이는 가족, 친구, 사회에서 모두 적용됩니다. 가족에게 진실된 말과 자연스러운 모습을 보이는 것은 깊은 유대감을 형성하고, 친구들에게는 신뢰를 쌓는 기반이 됩니다. 사회에서도 진정성을 가지고 행동하면 존경받는 인물이 됩니다. 진실을 감추기 위한 말과 꾸밈은 일시적인 평화를 가져다줄 수 있지만, 결국에는 관계를 해치고 신뢰를 무너뜨립니다. 진정성과 신뢰는 서로 맞물려 있으며, 이를 통해 장년은 주변 사람들과 깊고 의미 있는 관계를 형성할 수 있습니다.

결론적으로, 공자의 가르침은 장년층이 진실된 말과 꾸밈없는 얼굴빛을 통해 진정성과 신뢰를 유지하는 데 중요한 지침을 제공합니다. 진실된 말은 인간관계의 기반을 이루며, 신뢰를 쌓는 데 필요합니다. 외적인 꾸밈보다는 내면의 성숙함과 진정성을 유지하는 것이 중요합니다. 장년은 이러한 가르침을 실천함으로써 더욱 의미 있고 풍요로운 삶을 살아갈 수 있습니다. 이는 젊은 세대에게도 큰 귀감이 되며, 세대 간의 이해와 화합을 도모합니다.

1. 진실된 말로 소통하라

공자는 말을 교묘하게 꾸미는 것이 진실을 왜곡한다고 경고했습니다. 따라서 주변 사람들과 대화에서 솔직함과 정직함을 유지해야 합니다. 이는 신뢰를 쌓고, 진정한 관계를 형성하는 데 필수입니다. 진실된 말은 가족, 친구, 그리고 사회적 관계에서 존경받는 기반이 됩니다. 젊은 세대들에게는 좋은 본보기가 되어, 그들 역시 진실을 중시하는 태도를 배웁니다.

2. 자연스러운 얼굴빛을 유지하라

공자는 얼굴빛을 곱게 꾸미는 것이 진실을 감추려는 수단이 될 수 있다고 경고했습니다. 장년은 화려한 치장보다는 건강한 생활습관과 긍정적인 마음가짐을 통해 자연스러운 얼굴빛을 유지하는 것이 바람직합니다. 이는 내면의 진정성과 성숙함을 반영하며, 타인에게 긍정적인 인상을 줍니다. 자연스러운 얼굴빛은 시간이 지나도 변하지 않는 지속적인 매력을 지닙니다.

3. 진정성과 신뢰를 바탕으로 관계를 형성하라

진정성은 인간 관계에서 가장 중요한 요소 중 하나입니다. 장년은 그동안 쌓아온 인생 경험과 지혜를 바탕으로 진정성을 통해 신뢰를 쌓아야 합니다. 가족, 친구, 사회 모두에서 진정성을 가지고 행동하면 존경받는 인물이 됩니다. 진실을 감추기 위한 말과 꾸밈은 일시적인 평화를 가져다주지만, 결국에는 관계를 해치고 신뢰를 무너뜨립니다. 진정성과 신뢰는 서로 맞물려 있습니다.

28. 모르는 것은 배우고, 아는 것은 행하라

"자하가 말했다. "날마다 자신이 알지 못하던 것을 알게 되고, 달마다 자신이 할 수 있던 것을 잊지 않는다면, 배우기를 좋아 한다고 할 수 있다.""《논어, 자장편》

1. 지속적인 배움의 중요성

자하(子夏)는 배우기를 좋아하는 사람의 특징으로 매일 새로운 것을 배우고, 기존에 알고 있던 것을 잊지 않는 것을 강조했습니다. 장년은 이미 많은 경험과 지식을 쌓았지만, 여전히 배움의 자세를 유지하는 것이 중요합니다. 새로운 지식과 기술을 배우는 것은 두뇌를 활발하게 유지시켜 치매 예방에도 도움이 됩니다. 또한, 새로운 도전과 배움을 통해 삶에 활력을 불어넣습니다. 새로운 언어나 취미를 배우거나, 최신 기술에 대한 이해를 넓히는 것은 지적 성장을 촉진합니다. 이러한 배움의 과정은 단순히 지식을 쌓는 것을 넘어서, 삶에 대한 긍정적인 태도와 활력을 유지하는데 중요한 역할을 합니다. 새로운 것을 배우는 것은 우리의 호기심을 자극하고, 일상에 신선한 변화를 가져다줍니다.

2. 아는 것을 실천하는 삶

자하의 가르침은 배움에만 그치지 않고, 배운 것을 실천하는 것의 중요성도 강조합니다. 장년에는 축적된 지식을 바탕으로 사회에 기여하는 많은 기회가 있습니다. 자신의 경험과 지혜를 활용해 지역 사회에서 봉사활동을 하거나, 후배나 젊은 세대에게 멘토링을 제공하는 것은 매우 의미 있는 일입니다. 자신의 직업적 경험을 바탕으로 자원봉사를 하거나, 젊은이들에게 인생의 조언을 해주는 활동은 사회적으로도 큰 가치를 지닙니다. 이러한 실천을 통해 자신의 지식과 경험이 더욱 빛을 발하게 되며, 동시에 개인적인 만족감과 보람을 느낍니다. 아는 것을 실천하는 삶은 우리의 행동이 타인에게 긍정적인 영향을 미치고, 사회적 유대감을 강화하는 데 중요한 역할을 합니다.

3. 평생 학습과 성장의 자세

장년이 배움을 멈추지 않는 자세는 평생 학습의 중요성을 반영합니다. 평생 학습은 나이와 상관없이 지속적인 성장을 추구하는 것을 의미합니다. 이는 단순히 새로운 지식을 습득하는 것뿐만 아니라, 새로운 경험을 통해 자신을 끊임없이 발전시키는 과정입니다. 여행을 통해 새로운 문화를 접하거나, 다양한 사회적 활동에 참여해 새로운 사람들과의 교류를 확대하는 것은 개인의 성장을 도모합니다. 이러한 학습과 성장은 삶의 질을 높이고, 나이에 상관없이 계속해서 성장하는 삶을 살아가는 데 필수적입니다. 평생 학습의 자세를 유지함으로써, 장년은 더욱 풍요롭고 의미 있는 삶을 살아갑니다. 새로운 도전에 대한 열린 마음과 끊임없는 배움의 자세는 우리의 인생을 더욱 풍요롭게 만듭니다.

결론적으로, 자하의 가르침은 장년에게 모르는 것을 배우고 아는 것을 실천하는 삶의 중요성을 일깨워줍니다. 지속적인 배움과 실천은 개인의 성장뿐만 아니라 사회적 기여를 통해 더 나은 세상을 만드는 데 기여합니다. 나이와 상관없이 배움의 자세를 유지하고, 아는 것을 행하는 삶은 장년에도 활기차고 의미 있는 삶을 영위하는 비결입니다. 장년은 그동안 쌓아온 지식과 경험을 바탕으로 새로운 것을 배우고, 이를 실천함으로써 더욱 성숙하고 풍요로운 인생을 살아갈 수 있습니다. 배움과 실천을 통해 우리는 자신을 끊임없이 발전시키고, 사회에 긍정적인 영향을 미치는 삶을 살아갑니다.

장년을 위한 인문학 코칭

1. 새로운 것을 배우는 자세를 유지하라

장년은 이미 많은 경험과 지식을 쌓았지만, 여전히 배움의 자세를 유지해야 합니다. 매일 새로운 것을 배우는 것은 두뇌를 활발하게 유지하고, 삶에 활력을 불어넣습니다. 새로운 언어나 기술을 배우거나, 취미를 시작하는 것은 지적 성장을 촉진합니다. 새로운 도전과 배움은 단순히 지식을 쌓는 것을 넘어서, 긍정적인 태도와 삶의 활력을 유지합니다.

2. 축적된 지식을 실천하라

자하의 가르침은 배운 것을 실천하는 것의 중요성을 강조합니다. 장년에는 축적된 지식을 바탕으로 사회에 기여합니다. 자신의 경험과 지혜를 활용해 지역 사회에서 봉사활동을 하거나, 젊은 세대에게 멘토링을 제공하는 것은 매우 의미 있는 일입니다. 이를 통해 자신의 지식과 경험이 더욱 빛을 발하게 되며, 동시에 개인적인 만족감과 보람을 느낍니다.

3. 평생 학습의 자세를 유지하라

평생 학습은 나이와 상관없이 지속적인 성장을 추구하는 것을 의미합니다. 이는 단순히 새로운 지식을 습득하는 것뿐만 아니라, 새로운 경험을 통해 자신을 끊임없이 발전시키는 과정입니다. 여행을 통해 새로운 문화를 접하거나, 다양한 사회적 활동에 참여해 새로운 사람들과의 교류를 확대하는 것은 개인의 성장을 도모합니다. 이러한 학습과 성장은 삶의 질을 높이고, 나이에 상관없이 계속해서 성장하는 삶을 살아가는 데 필요합니다.

29. 세 가지 태도를 갖춰라

"자하가 말했다. "군자에게는 세 가지 변화가 있다. 그를 멀리서 바라보면 위엄이 있고, 가까이서 대해 보면 온화하며, 그의 말을 들어보면 옳고 그름이 분명하다.""《논어, 자장편》

1. 멀리서 바라보면 위엄이 있어야 한다

장년은 자연스럽게 많은 인생 경험과 지혜를 쌓아왔습니다. 이러한 경험과 지혜는 자연스러운 위엄으로 나타나야 합니다. 자하가 말한 군자의 첫 번째 태도는 멀리서 바라볼 때 느껴지는 위엄입니다. 이는 단순히 외적인 권위를 의미하는 것이 아니라, 내면에서 우러나오는 진정한 신뢰와 존경을 의미합니다. 장년은 자신의 삶과 행동을 통해 자연스럽게 존경받는 존재가 되어야 합니다. 공정하고 올바른 행동을 일관되게 유지하며, 자신의 가치와 신념을 지키는 모습을 보여주어야 합니다. 이러한 태도는 가족, 친구, 후배들에게 깊은 인상을 남기며, 자연스럽게 존경을 받게 됩니다. 장년의 위엄은 겉모습이 아닌 내면의 성숙함과 일관성에서 비롯되며, 이는 타인에게 깊은 신뢰를 줍니다. 또한, 이러한 위엄은 사회적 역할을 수행할 때 중요한 영향을 미칩니다.

2. 가까이서 보면 온화해야 한다

자하가 말한 군자의 두 번째 태도는 가까이서 대할 때 느껴지는 온화함입니다. 위엄을 가지고 있더라도 가까운 관계에서는 따뜻하고 온화한 태도를 유지하는 것이 중요합니다. 장년층은 가족과 친구, 후배들과의 관계에서 온화함과 친절을 보여야 합니다. 이는 타인과의 유대감을 강화하고, 진정한 소통을 가능하게 합니다. 온화한 태도는 타인에게 안정감과 편안함을 주며, 어려운 상황에서도 부드럽게 해결하는 능력을 보여줍니다. 이러한 태도는 장년의 인생 경험과 지혜를 바탕으로 하여, 타인에게 도움이 되고 격려가 되는 존재가 되게 합니다. 온화함은 사람들에게 다가가기 쉽게 만들어 주며, 상호작용을 더욱 긍정적으로 만듭니다.

3. 그의 말을 들어보면 옳고 그름이 분명해야 한다

자하가 말한 군자의 세 번째 태도는 그의 말을 들었을 때 옳고 그름이 분명하다는 것입니다. 이는 장년이 자신의 의견을 명확하고 논리적으로 전달할 수 있습니다. 장년은 삶의 경험을 통해 쌓은 지혜를 바탕으로, 옳고 그름을 분명히 구분하고 이를 전달할 수 있어야 합니다. 이는 타인에게 신뢰를 주고, 올바른 방향으로 이끌 수 있는 능력을 갖추게 합니다. 특히 젊은 세대들에게는 좋은 본보기가 되며, 그들에게 올바른 가치관과 도덕적 기준을 제시합니다. 명확한 의사소통과 논리적인 사고는 장년이 주변 사람들과 건강한 관계를 유지하고, 사회적으로 존경받는 위치를 유지하는 데 중요한 요소입니다.

결론적으로, 자하의 가르침은 장년층에게 세 가지 중요한 태도를 일깨워줍니다. 첫째, 멀리서 볼 때 위엄을 갖추어 자연스러운 존경을 받을 수 있도록 하며, 둘째, 가까운 관계에서는 온화한 태도로 유대감을 강화합니다. 셋째, 자신의 말을 통해 옳고 그름을 분명히 하여 타인에게 신뢰를 줄 수 있어야 합니다. 이러한 세 가지 태도는 장년층이 인생의 후반기를 더욱 의미 있게 보내고, 주변 사람들과의 관계를 더욱 깊고 풍요롭게 만드는 데 중요한 역할을 합니다.

장년을 위한 인문학 코칭

1. 위엄을 갖추어라

장년에는 풍부한 인생 경험과 지혜를 바탕으로 자연스러운 위엄을 갖추는 것이 중요합니다. 공정하고 올바른 행동을 일관되게 유지하며, 자신의 가치와 신념을 지키는 모습을 보여줌으로써 존경을 받게 됩니다. 위엄은 외적인 권위뿐만 아니라 내면에서 우러나오는 진정한 신뢰와 존경을 의미합니다.

2. 온화함을 유지하라

가까운 사람들과의 관계에서는 따뜻하고 온화한 태도를 유지하는 것이 중요합니다. 위엄을 가지고 있더라도 가족과 친구, 후배들과의 관계에서 온화함과 친절을 보여야 합니다. 이는 타인과의 유대감을 강화하고, 진정한 소통을 가능하게 합니다. 온화한 태도는 타인에게 안정감과 편안함을 주며, 어려운 상황에서도 부드럽게 해결할 수 있는 능력을 보여줍니다.

3. 명확한 의사소통을 하라

자신의 의견을 명확하고 논리적으로 전달하는 능력을 갖추어야 합니다. 장년은 삶의 경험을 통해 쌓은 지혜를 바탕으로, 옳고 그름을 분명히 구분하고 이를 전달할 수 있어야 합니다. 이는 타인에게 신뢰를 주고, 올바른 방향으로 이끌 수 있는 능력을 갖추게 합니다. 특히 젊은 세대들에게는 좋은 본보기가 되며, 그들에게 올바른 가치관과 도덕적 기준을 제시합니다. 명확한 의사소통과 논리적인 사고는 장년층이 주변 사람들과 건강한 관계를 유지하게 합니다.

30. 세 가지를 알라, 자신, 예, 말

"공자께서 말씀하셨다. "천명(天命)을 알지 못하면 군자가 될 수 없고, 예(禮)를 알지 못하면 세상에 당당히 나설 수 없으며, 말하는 법(言)을 알지 못하면 사람의 진면목을 알 수가 없다.""
《논어, 요왈편》

1. 자신을 알라

공자가 말한 '천명(天命)'을 알라는 것은 결국 자신을 알라는 의미입니다. 천명은 하늘이 내린 사명으로, 이는 각자의 인생 목적과 방향성을 의미합니다. 우리는 인생을 살아가면서 끊임없이 자신을 탐구하고, 내면의 소리에 귀 기울이며, 진정한 자아를 찾아가는 여정을 밟아야 합니다. 장년은 이미 많은 경험과 지식을 쌓아왔지만, 그 과정에서 우리는 때로는 자신을 잃어버리기도 합니다. 이제는 스스로를 다시 찾아야 할 시간입니다. 자신의 과거를 돌아보며 무엇이 나를 행복하게 했고, 어떤 순간이 가장 의미 있었는지를 성찰하는 과정이 필요합니다. 진정한 자신의 모습과 앞으로의 방향성을 재정립합니다. 자신을 아는 것은 우리의 삶에 확고한 기준을 세우고, 흔들리지 않는 삶의 방향을 제시합니다.

2. 예를 알라

예(禮)는 사회의 기본적인 규범과 도덕을 의미하며, 이는 인간 관계의 기초입니다. 공자는 예를 알지 못하면 세상에 당당히 나설 수 없다고 강조했습니다. 장년에는 많은 사람들과 관계 속에서 예를 지키는 것이 얼마나 중요한지를 더욱 깊이 깨닫게 됩니다. 예를 지킨다는 것은 단순히 겉으로 보이는 예의를 갖추는 것을 넘어서, 상대방을 진심으로 존중하고 배려하는 마음을 가집니다. 이는 가족, 친구, 동료, 그리고 자신과의 관계에서도 마찬가지입니다. 우리는 서로를 이해하고 화합할 수 있으며, 이는 평화로운 삶의 기반이 됩니다. 예를 실천하는 삶은 단순히 개인의 행복을 넘어서, 사회 전체의 조화와 안정을 가져옵니다.

예를 지키는 것은 또한 우리 자신의 내면을 단련하는 과정이기도 합니다. 존중과 배려의 태도를 유지함으로써 우리는 더 성숙한 인격을 갖춥니다. 이는 우리의 삶을 더욱 풍요롭게 하고, 타인과의 관계를 긍정적으로 변화시킵니다. 예는 단순한 규칙이 아니라, 우리의 삶을 더욱 의미 있게 만드는 중요한 요소입니다.

3. 말을 알라

말(言)은 우리가 다른 사람들과 소통하는 기본 수단입니다. 공자는 말을 알지 못하면 사람의 진면목을 알 수 없다고 했습니다. 장년에는 말의 중요성을 더욱 실감하게 됩니다. 우리는 살아가면서 많은 오해와 갈등을 경험하며, 이 중 대부분은 말에서 비롯됩니다. 따라서 우리는 말을 통해 상대방의 진정한 마음을 이해하고, 자신의 의사를 명확히 전달할 수 있어야 합니다. 이는 단순히 화려한 언변을 가지는 것을 의미하지 않습니다. 오히려 진솔하고 신뢰할 수 있는 말로 소통하는 것이 중요합니다. 우리가 사용하는 말은 우리의 인격과 신뢰를 반영합니다. 말을 알기 위해서는 먼저 상대방의 말을 경청하는 태도가 필요합니다. 상대방의 입장에서 생각하고 이해하는 과정이 중요합니다.

결론적으로, 장년에는 **"자신을 알고, 예를 지키며, 말"**을 통해 진정한 소통을 이루어야 합니다. 이를 통해 우리는 보다 풍요롭고 의미 있는 삶을 살아갈 수 있으며, 주변 사람들과의 관계에서도 깊은 이해와 화합을 이룰 수 있을 것입니다. 공자의 가르침은 단순히 옛날 이야기로 그치는 것이 아니라, 오늘날에도 우리의 삶에 깊은 울림을 주는 지혜입니다. 우리는 이 지혜를 통해 더욱 성숙한 인생을 살아갑니다.

장년을 위한 인문학 코칭

첫째, 자신을 알라

장년은 자신의 인생 경험과 성찰을 통해 진정한 자아를 발견하는 것이
중요합니다. 자신이 어떤 사람인지, 무엇을 좋아하고 싫어하는지, 어떤
가치를 추구하는지를 명확히 이해함으로써 남은 인생을 더 의미 있고 만
족스럽게 보낼 수 있습니다. 천명을 안다는 것은 자기 자신을 깊이 이해
하고, 삶의 목적을 찾는 과정입니다.

2. 예를 알라

예(禮)는 사회적 규범과 도덕을 의미하며, 타인과의 관계에서 필수 요소
입니다. 장년에는 많은 사람들과 관계 속에서 예를 지키는 것이 중요합
니다. 이는 상대방을 존중하고 배려하는 마음을 가지는 것을 뜻합니다.
예를 통해 우리는 가족, 친구, 동료와의 관계를 더욱 돈독히 하고, 사회
적 조화와 평화를 이룹니다.

3. 말을 알라

소통은 인간 관계의 핵심이며, 말을 통해 우리의 진심과 생각을 전달할
수 있어야 합니다. 장년에는 특히 말의 중요성을 인식하고, 신중하고 진
솔한 소통을 통해 오해와 갈등을 줄이는 것이 중요합니다. 말을 잘 한다
는 것은 단순히 화려한 언변을 의미하는 것이 아니라, 상대방의 마음을
이해하고 공감하는 능력을 의미합니다. 이를 통해 우리는 보다 깊이 있
는 인간관계를 형성하고, 진정한 소통을 이룹니다.